МАРИНА ЦВЕТАЕВА

Мой Пушкин

М.И. ЦВЕТАЕВА
(1892-1941)

Автобиография, которая следует ниже, была написана в январе 1940 г. по просьбе литературоведа для статьи в 12-й том "Литературной энциклопедии", подготавливаемый в то время Госиздатом, но так и не вышедший в свет:

"Марина Ивановна Цветаева.

Родилась 26 сентября 1892 г., в Москве. Отец – Иван Владимировчи Цветаев – профессор Московского университета, основатель и собиратель Музея изящных искусств (ныне Музей изобразительных искусств), выдающийся филолог. Мать – Мария Александровна Мейн – страстная музыкантша, страстно любит стихи и сама их пишет. Страсть к стихам – от матери, страсть к работе и к природе – от обоих родителей.

Первые языки: немецкий и русский, к семи годам – французский. Материнское чтение вслух и музыка. Ундина, Рустем и Зораб, Царевна в зелени – из самостоятельно прочитанного. Нелло и Патраш. Любимое занятие с четырех лет – чтение, с пяти лет – писание. Все, что любила, – любила до семи лет, и больше не полюбила ничего. Сорока семи лет от роду скажу, что все, что мне суждено было узнать, – узнала до семи лет, а все последующие сорок – осознавала.

Мать – сама лирическая стихия. Я у своей матери

старшая дочь, но любимая – не я. Мною она гордится, вторую – любит. Ранняя обида на недостаточность любви.

Детство до десяти лет – старый дом в Трехпрудном переулке (Москва) и одинокая дача Песочная, на Оке, близ города Тарусы Калужской губернии.

Первая школа – музыкальная школа Зограф-Плаксиной в Мерзляковском переулке, куда поступаю самой младшей ученицей, неполных шести лет. Следующая – IV гимназия, куда поступаю в приготовительный класс. Осенью 1902 г. уезжаю с больной матерью на Итальянскую Ривьеру, в городок Nervi, близ Генуи, где впервые знакомлюсь с русскими революционерами и понятием Революции. Пишу Революционные стихи, которые печатают в Женеве. Весной 1902 г. поступаю во французский интернат в Лозанне, где остаюсь полтора года. Пишу французские стихи. Летом 1904 г. еду с матерью в Германию, в Шварцвальд, где осенью поступаю в интернат во Фрейбурге. Пишу немецкие стихи. Самая любимая книга тех времен – "Лихтенштейн" В. Гауфа. Летом 1906 г. возвращаюсь с матерью в Россию. Мать, не доехав до Москвы, умирает на даче Песочная, близ города Тарусы.

Осенью 1906 г. поступаю в интернат московской гимназии Фон-Дервиз. Пишу Революционные стихи. После интерната Фон-Дервиз – интернат Алферовской гимназии, после которого VI и VII класс в гимназии Брюхоненко (приходящей). Лета – за границей, в Париже и в Дрездене. Дружба с поэтом Эллисом и филологом Нилендером. В 1910 г., еще в гимназии, издаю свою первую книгу стихов – "Вечерний альбом"– стихи 15, 16, 17 лет – и знакомлюсь с поэтом М. Волошиным, написавшим обо мне первую (если не ошибаюсь) большую статью. Летом 1911 г. еду к нему в Коктебель и знакомлюсь там со своим будущим мужем – Сергеем Эфроном, которому 17 лет и с которым уже не расстаюсь. Замуж за него выхожу в 1912 г. В 1912 г. выходит моя вторая книга стихов "Волшебный фонарь" и рождается моя первая дочь – Ариадна. В 1913 г. – смерть отца.

6

С 1912 г. по 1922 г. пишу непрерывно, но книг не печатаю. Из периодической прессы печатаюсь несколько раз в журнале "Северные записки".

С начала революции по 1922 г. живу в Москве. В 1920 г. умирает в приюте моя вторая дочь, Ирина, трех лет от роду. В 1922 г. уезжаю за границу, где остаюсь 17 лет, из которых 3 с половиной года в Чехии и 14 лет во Франции. В 1939 г. возвращаюсь в Советский Союз – вслед за семьей и чтобы дать сыну Георгию (родился в 1925 г.) родину.

Из писателей любимые: Сельма Лагерлёф, Зигрид Ундсет, Мэри Вебб.

С 1922 г. по 1928 г. появляются в печати следующие мои книги: в Госиздате "Царь-Девица", "Версты" 1916 г. и сборник "Версты"; в Берлине, в различных издательствах, – поэма "Царь-Девица", книги стихов "Разлука", "Стихи к Блоку", "Ремесло" и "Психея", в которые далеко не входит все написанное с 1912 по 1922 гг. В Праге, в 1924 г., издаю поэму "Молодец", в Париже, в 1928 г., книгу стихов "После России". Больше отдельных книг у меня нет.

В периодической прессе за границей у меня появляются: лирические пьесы, написанные еще в Москве: "Фортуна", "Приключение", "Конец Казановы", "Метель". Поэмы: "Поэма Горы", "Поэма конца", "Лестница", "С Моря", "Попытка комнаты", "Поэма Воздуха", две части трилогии "Тезей": I ч. "Ариадна", II ч. "Федра", "Новогоднее", "Красный бычок", поэма "Сибирь". Переводы на французский язык: "Le Gars" (перевод моей поэмы "Молодец" размером подлинника) с иллюстрациями Н. Гончаровой, переводы ряда стихотворений Пушкина, переводы русских и немецких революционных, а также и советских песен. Уже по возвращении в Москву перевела ряд стихотворений Лермонтова. Больше моих переводов не издано.

Проза: "Герой труда" (встреча с В. Брюсовым), "Живое с живым" (встреча с М. Волошиным), "Пленный Дух" (встреча с Андреем Белым), "Наталья Гончарова" (жизнь и творчество), повести из детства: "Дом у Старого Пимена", "Мать и Музыка", "Черт" и т.д. Статьи: "Искусство при свете совести", "Лесной царь". Рассказы: "Хлыстовки", "Открытие Музея", "Башня в плюще", "Жених", "Китаец", "Сказка матери" и многое другое. Вся моя проза – автобиографическая».

Явно, что в автобиографии, написанной в январе 1940 г., Марина Цветаева вынуждена была скрывать многое. Она не говорит ничего (а может быть просто и не знает) о том, что Сергей Эфрон, бывший белый офицер ("Лебединый стан" Цветаевой посвящен Белой Армии и мужу), работает на НКВД и после "дела Рейса", т.е. убийства двойного агента в Швейцарии, должен срочно вернуться в СССР, где уже жила их дочь, Ариадна Сергеевна Эфрон.

Марина Цветаева приехала с сыном в июне 1939 г. на болшевскую дачу НКВД (под Москвой), где, по словам А.С. Эфрон, вся семья (за исключением Анастасии, сестры М. Цветаевой, арестованной еще в 1937 г.) провела в течение нескольких недель самой счастливое время своей жизни.

Но осенью 1939 г. начинается новый период в жизни Цветаевой. Период страха, скитаний с сыном в поисках жилья и попыток помочь арестованным дочери (в августе) и мужу (в ноябре?).

А.С. Эфрон в одном из писем[1] подробно описала это страшное время:

«М. Ц. приехала в СССР в июне 1939 года вместе с сыном Георгием (р. 1925 – погиб на фронте 1944); ехали не через Негорелое, а пароходом с испанскими беженцами, на Ленинград, оттуда поездом в Москву. Встречала я ее (приехала в марте 1937). Отец (приехал в дек. 1937) был болен и встретить не мог. Жили мы в Болшеве (большая дача около ж/д, кроме нас еще семья, тоже «оттуда»). В авг. 1939 г. мы с отцом (сначала я, потом он) – были арестованы (отец погиб приблизительно в одно время с матерью – напуганное наступле-

---

[1] Выдержка из одного письма А.С. Эфрон Б.А. Тарасову, в книге Вероники Лосской "Марина Цветаева в жизни", изд. Эрмитаж, США, 1989.

нием Гитлера НКВД уничтожило подследственных, идущих по 58-й статье. Погиб, очевидно, в Москве, в одной из московских тюрем – Лубянка?). Я к началу войны была уже в лагере; после восьми лет лагеря была ссылка в Туруханск, Красноярского края – освободилась в 1955 г. по реабилитации. Отец реабилитирован посмертно).

После нашего ареста, в ноябре 1939 г. были арестованы и старшие из другой семьи, с той дачи. Младшие "рассосались" по родственникам, маму с братом с дачи выселили на все четыре стороны. Приютила тетка (сестра отца); некоторое время жили у нее (она с подругой в комнате, 8 метров, мать с братом – в темном чулане, 6 метров). Потом с помощью Пастернака получили путевку (одну на двоих т.е. вдвоем получали одну порцию еды!) в голицынский дом творчества. Жили не в самом доме творчества, а снимали часть дачи. Мама переводила стихи (грузинские): "Витязь в тигровой шкуре", "Гоготур и Апшина"; каждые две недели возила денежную передачу в тюрьму – по 50 руб. на человека. Из Голицына переехала в начале июня 1940 г. в комнату одного профессора при старом МГУ, пустовавшую до августа (он уехал на дачу). Переводила. Брат учился (сперва в болшевской, потом в голицынской, потом в нескольких московских школах). В августе (начало месяца) переехала опять в теткин чулан. Вещи, пришедшие "малой скоростью" из Франции, некуда было девать – распродавала, раздавала. Книги плохо распродавались, часть приходилось выбрасывать. Переводила стихи разных (в основном слабых) поэтов, для заработков; своего не писала. Не до того было. Доставать работу помогал Пастернак. Во всех трудностях (переезды) помогал мой муж (был арестован в 1950 г. и после долгого «следствия» расстрелян). Поздней осенью 1940 г. удалось снять комнату на Покровском бульваре – хозяева уезжали по договору на север. Цена – 5000 р., за два года. Платеж в два срока. Деньги занимались у знакомых, взята была ссуда в Литфонде. Дальше – переводы, чтобы вернуть долги и как-то жить. Живут очень плохо. В коммунальной квартире притесняют соседи. И мать, и брат постоянно болеют. В марте 1941 г. – первые известия от меня, из лагеря (Коми АССР). Готовятся посылки (одну успевают прислать), ведутся хлопоты о разрешении на свидание (свидание не состоялось – война). Зимой 40-41 года подготавливается к печати сборник стихов. М.Л. Зелинский дает отзыв – формализм. "Сволочь Зелинский!" – пишет М. Ц. в тетради переводов. И борется за книгу. Кажется, одерживает победу. Война, о которой узнает на улице, из открытого окна, по радио. В начале июля пытаются со знакомыми выехать на дачу в Пески – надежда на то, что "подобной эвакуации" будет достаточно. Вскоре возвращаются. Воздушные тревоги, зажигалки, ночные дежурства. Возвращаются хозяева комнаты. Требуют вторую половину денег или выгонят. Все возможные и невозможные деньги отдаются им. Положение Москвы и в Москве ухудшается. Эвакуируются кто и куда может. Мама с братом эвакуируются с группой Литфонда в Чистополь на Каме. Едут пароходом. С собой чемодан рукописей, два чемодана с вещами, какими попало, "торговой ценности" не представляющими, очень мало денег. В Чистополе не оставляют (сама "из Франции приехала", родственники репрессированы). Елабуга. Попытки (безнадежные) устроиться на работу. Поездка в Чистополь – попытка устроиться судомойкой в писательский детдом. Случайно слышит "прения" по этому вопросу на собрании эвакуированных писателей. Против – Тренев и артистка МХАТа Степанова, жена Фадеева. Того, что за ее кандидатуру выступает Паустовский и "одерживает обеду" на следующий день – уже не слышит, уезжает в Елабугу, где кончает с собой, оставив три записки: нам, родным; "знакомым по эвакуации; Асееву – руководителю ее группы эвакуированных. "Простите – не вынесла".»

    "Не вынесла" и повесилась 31 августа 1941 г.
    "Я все равно повешусь, как моя Федра".

МОЙ ПУШКИН

Начинается как глава настольного романа всех наших бабушек и матерей — "Jane Eyre" — Тайна красной комнаты.

В красной комнате был тайный шкаф.

Но до тайного шкафа было другое, была картина в спальне матери — "Дуэль".

Снег, черные прутья деревец, двое черных людей проводят третьего, под мышки, к саням — а еще один, другой, спиной отходит. Уводимый — Пушкин, отходящий — Дантес. Дантес вызвал Пушкина на дуэль, то есть заманил его на снег и там, между черных безлистых деревец, убил.

Первое, что я узнала о Пушкине, это — что его убили. Потом я узнала, что Пушкин — поэт, а Дантес — француз. Дантес возненавидел Пушкина, потому что сам не мог писать стихи, и вызвал его на дуэль, то есть заманил на снег и там убил его из пистолета в живот. Так я трех лет твердо узнала, что у поэта есть живот, и, — вспоминаю всех поэтов, с которыми когда-либо встречалась, — об этом *животе* поэта, который так часто не-сыт и в который Пушкин был убит, пеклась не меньше, чем о его душе. С пушкинской дуэли во мне началась *сестра*. Больше скажу — в слове живот для меня что-то священное, — даже простое "болит живот" меня заливает волной содрогающегося сочувствия, исключающего всякий юмор. Нас этим выстрелом всех в живот ранили.

О Гончаровой не упоминалось вовсе, и я о ней узнала только взрослой. Жизнь спустя горячо приветствую такое умолчание матери. Мещанская трагедия обретала величие мифа. Да, по существу, третьего в этой дуэли не было. Было двое: любой и один. То есть вечные действующие лица пушкинской лирики: поэт — и чернь. Чернь, на этот раз в мундире кавалергарда, убила — поэта. А Гончарова, как и Николай I, — всегда найдется.

———

— Нет, нет, нет, ты только представь себе! — говорила мать, совершенно не представляя себе этого *ты*. — Смертельно раненный, в снегу, а не отказался от выстрела! Прицелился, попал, и еще сам себе сказал: браво! — тоном такого восхищения, каким ей, христианке, естественно бы: "Смертельно раненый, в крови, а простил врагу!" Отшвырнул пистолет, протянул руку, — этим, со всеми нами, явно возвращая Пушкина в его родную Африку мести и страсти и не подозревая, какой урок — если не мести — так страсти на всю жизнь дает четырехлетней, еле-грамотной мне.

Черная с белым, без единого цветного пятна, материнская спальня, черное с белым окно: снег и прутья тех деревец, черная и белая картина — "Дуэль", где на белизне снега совершается черное дело: вечное черное дело убийства поэта — чернью.

Пушкин был мой первый поэт, и моего первого поэта — убили.

С тех пор, да, с тех пор, как Пушкина на моих глазах на картине Наумова — убили, ежедневно, ежечасно, непрерывно убивали всё мое младенчество, детство, юность, — я поделила мир на поэта — и всех, и выбрала — поэта, в подзащитные выбрала поэта: защищать — поэта — от всех, как бы эти все ни одевались и ни назывались.

Три таких картины были в нашем трехпрудном доме: в столовой — "Явление Христа народу", с никогда не разрешенной загадкой совсем маленького и непонятно-близкого, совсем близкого и непонятно-маленького Христа; вторая, над нотной этажеркой в зале — "Татары" — татары в белых балахонах, в каменном доме без окон, между белых столбов убивающие главного татарина ("Убийство Цезаря") и — в спальне матери — "Дуэль". Два убийства и одно явление. И все три были страшные, непонятные, угрожающие, и крещение с никогда не виденными черными кудрявыми орлоносыми голыми людьми и детьми, так заполнившими реку, что капли воды не осталось, было не менее страшное тех двух, — и все они отлично готовили ребенка к предназначенному ему страшному веку.

Пушкин был негр. У Пушкина были бакенбарды (NB! только у негров и у старых генералов), у Пушкина были волосы вверх и губы наружу, и черные, с синими белками, как у щенка, глаза, — черные вопреки явной светлоглазости его многочисленных портретов. (Раз негр — черные[1].)

Пушкин был такой же негр, как тот негр в Александровском пассаже, рядом с белым стоячим медведем, над вечно-сухим фонтаном, куда мы с матерью ходили посмотреть: не забил ли? Фонтаны никогда не бьют (да как это они бы делали?), русский поэт — негр, поэт — негр, и поэта — убили.

(Боже, как сбылось! Какой поэт из бывших и сущих *не* негр, и какого поэта — *не* убили?)

Но до "Дуэли" Наумова — ибо у каждого воспоминания есть свое *до*-воспоминание, предок — воспоминание, пращур — воспоминание, точно пожарная лестница, по которой спускаешься спиной, не зная, будет ли еще ступень — которая *всегда* оказывается — или внезапное ночное небо, на котором открываешь всё новые и новые высочайшие и далечайшие звезды — но до "Дуэли" Наумова был другой Пушкин, Пушкин не воспоминание, а состояние, Пушкин — всегда и отвсегда,

---

[1] Пушкин был светловолос и светлоглаз. (*Примеч. М.И. Цветаевой.*)

— до "Дуэли" Наумова была заря, и, из нее вырастая, в нее уходя, ее плечами рассекая, как пловец — реку, — черный человек выше всех и чернее всех — с наклоненной головой и шляпой в руке.

Памятник Пушкина был не памятник Пушкина (родительный падеж), а просто Памятник-Пушкина, в одно слово, с одинаково непонятными и порознь не существующими понятиями памятника и Пушкина. То, что вечно, под дождем и под снегом, — о, как я вижу эти нагруженные снегом плечи, всеми российскими снегами нагруженные и осиленные африканские плечи! — плечами в зарю или в метель, прихожу я или ухожу, убегаю или добегаю, стоит с вечной шляпой в руке, называется "Памятник-Пушкина".

Памятник Пушкина был цель и предел прогулки: от памятника Пушкина — до памятника Пушкина. Памятник Пушкина был и цель бега: кто скорей добежит до Памятник-Пушкина. Только Асина пянька иногда, по простоте, сокращала: "А у Пушкина — посидим", — чем неизменно вызывала мою педантичную поправку: "Не у Пушкина, а у Памятник-Пушкина".

Памятник Пушкина был и моя первая пространственная мера: от Никитских Ворот до памятника Пушкина — верста, та самая вечная пушкинская верста, верста "Бесов", верста "Зимней дороги", верста всей пушкинской жизни и наших детских хрестоматий, полосатая и торчащая, непонятная и принятая.[1]

Памятник Пушкина был — обиход, такое же действующее лицо детской жизни, как рояль или за окном городовой Игнатьев, — кстати, стоявший почти так же непреложно, только не так высоко, — памятник Пушкина был одна из двух (третьей не было) ежедневных

---

[1] Там верстою небывалой
Он торчал передо мной... *("Бесы")*
Пушкин здесь говорит о верстовом столбе.
Ни огня, ни черной хаты...
Глушь и снег... Навстречу мне
Только версты полосаты
Попадаются одне... *("Зимняя дорога") (Примеч. М.И. Цветаевой.)*

неизбежных прогулок — на Патриаршие Пруды — или к Памятник-Пушкину. И я предпочитала — к Памятник-Пушкину, потому что мне нравилось, раскрывая и даже разрывая на бегу мою белую дедушкину карлсбадскую удавочную "кофточку", к нему бежать и, добежав, обходить, а потом, подняв голову, смотреть на чернолицего и чернорукого великана, на меня не глядящего, ни на кого и ни на что в моей жизни не похожего. А иногда просто на одной ноге обскакивать. А бегала я, несмотря на Андрюшину долговязость и Асину невесомость и собственную толстоватость — лучше их, лучше всех: от чистого чувства чести: добежать, а потом уж лопнуть. Мне приятно, что именно памятник Пушкина был первой победой моего бега.

С памятником Пушкина была и отдельная игра, моя игра, а именно: приставлять к его подножью мизинную, с детский мизинец, белую фарфоровую куколку — они продавались в посудных лавках, кто в конце прошлого века в Москве рос — знает, были гномы под грибами, были дети под зонтами, — приставлять к гигантову подножью такую фигурку и, постепенно проходя взглядом снизу вверх весь гранитный отвес, пока голова не отваливалась, рост — сравнивать.

Памятник Пушкина был и моей первой встречей с черным и белым: такой черный! такая белая! — и так как *черный* был явлен гигантом, а *белый* — комической фигуркой, и так как непременно нужно выбрать, я тогда же и навсегда выбрала черного, а не белого, черное, а не белое: черную думу, черную долю, черную жизнь.

Памятник Пушкина был и моей первой встречей с числом: сколько таких фигурок нужно поставить одна на другую, чтобы получился памятник Пушкина. И ответ был уже тот, что и сейчас: "Сколько ни ставь..." — с горделиво-скромным добавлением: "Вот если бы сто *меня*, тогда — *может*, потому что я ведь еще вырасту..." И, одновременно: "А если одна на другую сто фигурок, выйду — я?" И ответ: "Нет, не потому, что я большая, а потому, что я живая, а они фарфоровые".

Так что Памятник-Пушкина был и моей первой

встречей с материалом: чугуном, фарфором, гранитом — и своим.

Памятник Пушкина со мной под ним и фигуркой подо мной был и моим первым наглядным уроком иерархии: я перед фигуркой великан, но я перед Пушкиным — я. То есть маленькая девочка. Но которая вырастет. Я для фигурки — то, что Памятник-Пушкина — для меня. Но что же тогда для фигурки — Памятник-Пушкина? И после мучительного думанья — внезапное озарение: а он для нее такой большой, что она его просто не видит. Она думает — дом. Или — гром. А *она* для него — такая уж маленькая, что он ее тоже — просто не видит. Он думает — просто блоха. А меня — видит. Потому что я большая и толстая. И скоро еще подрасту.

Первый урок числа, первый урок масштаба, первый урок материала, первый урок иерархии, первый урок мысли и, главное, наглядное подтверждение всего моего последующего опыта: из тысячи фигурок, даже одна на другую поставленных, не сделаешь Пушкина.

...Потому что мне нравилось от него вниз по песчаной или снежной аллее идти и к нему, по песчаной или снежной аллее, возвращаться, — к его спине с рукой, к его руке за спиной, потому что стоял он всегда спиной, *от* него — спиной и *к нему* — спиной, спиной ко всем и всему, и гуляли мы всегда ему в спину, так же как сам бульвар всеми тремя аллеями шел ему в спину, и прогулка была такая долгая, что каждый раз мы с бульваром забывали, какое у него лицо, и каждый раз лицо было новое, хотя такое же черное. (С грустью думаю, что последние деревья *до* него так и не узнали, какое у него лицо.)

Памятник Пушкина я любила за черноту — обратную белизне наших домашних богов. У тех глаза были совсем белые, а у Памятник-Пушкина — совсем черные, совсем полные. Памятник-Пушкина был совсем черный, как собака, еще черней собаки, потому что у самой черной из них всегда над глазами что-то желтое или под шеей что-то белое. Памятник Пушкина был черный, как рояль. И если бы мне потом совсем не

16

сказали, что Пушкин — негр, я бы знала, что Пушкин — негр.

От памятника Пушкина у меня и моя безумная любовь к черным, пронесенная через всю жизнь, по сей день польщённость всего существа, когда случайно, в вагоне трамвая или ином, окажусь с черным — рядом. Мое белое убожество бок о бок с черным божеством. В каждом негре я люблю Пушкина и узнаю Пушкина, — черный памятник Пушкина моего до-грамотного младенчества и всея России.

...Потому что мне нравилось, что уходим мы или приходим, а он — всегда стоит. Под снегом, под летящими листьями, в заре, в синеве, в мутном молоке зимы — всегда стоит.

Наших богов иногда, хоть редко, но переставляли. Наших богов, под Рождество и под Пасху, тряпкой обмахивали. Этого же мыли дожди и сушили ветра. Этот — всегда стоял.

Памятник Пушкина был первым моим видением неприкосновенности и непреложности.

— На Патриаршие Пруды или...?

— К Памятник-Пушкину!

На Патриарших Прудах — патриархов не было.

———

Чудная мысль — гиганта поставить среди детей. Черного гиганта — среди белых детей. Чудная мысль белых детей на черное родство — обречь.

Под памятником Пушкина росшие не будут предпочитать белой расы, а я — так явно предпочитаю — черную. Памятник Пушкина, опережая события, — памятник против расизма, за равенство всех рас, за первенство каждой — лишь бы давала гения. Памятник Пушкина есть памятник черной крови, влившейся в белую, памятник слияния кровей, как бывает — слиянию рек, живой памятник слияния кровей, смешения народных душ — самых далеких и как будто бы — самых неслиянных. Памятник Пушкина есть живое доказательство низости и мертвости расистской теории, живое доказательство — ее обратного. Пушкин есть *факт*, опрокидывающий теорию. Расизм до своего зарождения Пушкиным опрокинут в самую минуту его рождения. Но нет — раньше: в день бракосочетания сына арапа Петра Великого, Осипа Абрамовича Ганнибала с Марьей Алексеевной Пушкиной. Но нет, еще раньше: в неизвестный нам день и час, когда Петр впервые остановил на абиссинском мальчике Ибрагиме черный, светлый, веселый и страшный взгляд. Этот взгляд был приказ Пушкину *быть*. Так что дети, под петербургским Фальконетовым Медным Всадником росшие, тоже росли под памятником против расизма — за гения.

Чудная мысль Ибрагимова правнука сделать черным. Отлить его в чугуне, как природа прадеда отлила в черной плоти. Черный Пушкин — символ. Чудная мысль — чернотой изваяния дать Москве лоскут абиссинского неба. Ибо памятник Пушкина явно стоит "под небом Африки моей". Чудная мысль — наклоном головы, выступом ноги, снятой с головы и заведенной за спину шляпой поклона — дать Москве, под ногами поэта, море. Ибо Пушкин не над песчаным бульваром стоит, а над Черным морем. Над морем свободной стихии — Пушкин свободной стихии.

Мрачная мысль — гиганта поставить среди цепей. Ибо стоит Пушкин среди цепей, окружен ("огражден") его пьедестал камнями и цепями: камень — цепь, камень — цепь, камень — цепь, всё вместе — круг. Круг николаевских рук, никогда не обнявших поэта, никогда и не выпустивших. Круг, начавшийся словом: "Ты теперь не прежний Пушкин, ты — *мой* Пушкин" и разомкнувшийся только Дантесовым выстрелом.

На этих цепях я, со всей детской Москвой прошлой, сущей, будущей, качалась — не подозревая, на чем. Это были очень низкие качели, очень твердые, очень железные. — "Ампир"? — Ампир. — Empire — Николая I Империя.

Но с цепями и с камнями — чудный памятник. Памятник свободе — неволе — стихии — судьбе — и конечной победе гения: Пушкину, восставшему из цепей. Мы это можем сказать теперь, когда человечески-постыдная и поэтически-бездарная подмена Жуковского:

> И долго буду тем народу *я любезен,*
> Что чувства добрые я лирой пробуждал,
> *Что прелестью живой стихов я был полезен...* —

с таким не-пушкинским, антипушкинским введением *пользы в поэзию* — подмена, позорившая Жуковского и Николая I без малого век и имеющая их позорить во веки веков, пушкинское же подножье пятнавшая с 1884 года — установки памятника, — наконец заменена словами *пушкинского* "Памятника":

> И долго буду тем *любезен я народу,*
> Что чувства добрые я лирой пробуждал,
> *Что в мой жестокий век восславил я свободу*
> И милость к падшим призывал.

И если я до сих пор не назвала скульптора Опекушина, то только потому, что есть слава бо́льшая — безымянная. Кто в Москве знал, что Пушкин — Опекушина? Но опекушинского Пушкина никто не забыл никогда. Мнимая неблагодарность наша — ваятелю лучшая благодарность.

И я счастлива, что мне, в одних моих юношеских стихах, удалось еще раз дать его черное детище — в слове:

> А там в полях необозримых
> Служа *небесному* царю —
> Чугунный правнук Ибрагимов
> Зажег зарю.

———

А вот как памятник Пушкина однажды пришел к нам в гости. Я играла в нашей холодной белой зале. Играла, значит — либо сидела под роялем, затылком в уровень кадке с филодендроном, либо безмолвно бегала от ларя к зеркалу, лбом в уровень подзеркальнику.

Позвонили, и залой прошел господин. Из гостиной, куда он прошел, сразу вышла мать, и мне, тихо: "Муся!

Ты видела этого господина?" — "Да". — "Так это — сын Пушкина. Ты ведь знаешь памятник Пушкина? Так это его сын. Почетный опекун. Не уходи и не шуми, а когда пройдет обратно — гляди. Он очень похож на отца. Ты ведь знаешь его отца?"

Время шло. Господин не выходил. Я сидела и не шумела и глядела. Одна на венском стуле, в холодной зале, не смея встать, потому что вдруг — пройдет.

Прошел он — и именно вдруг — но не один, а с отцом и с матерью, и я не знала, куда глядеть, и глядела на мать, но она, перехватив мой взгляд, гневно отшвырнула его на господина, и я успела увидеть, что у него на груди — звезда.

— Ну, Муся, видела сына Пушкина?

— Видела.

— Ну, какой же он?

— У него на груди — звезда.

— Звезда! Мало ли у кого на груди звезда! У тебя какой-то особенный дар смотреть не туда и не на то...

— Так смотри, Муся, запомни, — продолжал уже отец, — что ты нынче, четырех лет от роду, видела сына Пушкина. Потом внукам своим будешь рассказывать.

Внукам я рассказала сразу. Не своим, а единственному внуку, которого я знала, — няниному: Ване, работавшему на оловянном заводе и однажды принесшему мне в подарок собственноручного серебряного голубя. Ваня этот, приходивший по воскресеньям, за чистоту и тихоту, а еще и из уважения к высокому сану няни, был допускаем в детскую, где долго пил чай с баранками, а я от любви к нему и его птичке от него не отходила, ничего не говорила и за него глотала.

"Ваня, а у нас был сын Памятник-Пушкина". — "Что, барышня?" — "У нас был сын Памятник-Пушкина, и папа сказал, чтобы я тебе это сказала". — "Ну, значит, что-нибудь от папаши нужно было, раз пришли..." — неопределенно отозвался Ваня. "Ничего не нужно было, просто с визитом к нашему барину, — вмешалась няня. — Небось сами — полный енерал. Ты Пушкина-то на Тверском знаешь?" — "Знаю". — "Ну, сынок их, значит. Уже в летах, вся борода седая, надвое расчесана. Ваше высокопревосходительство".

Так, от материнской обмолвки и няниной скороговорки и от родительского приказа смотреть и помнить — связанного у меня только с предметами — белый медведь в пассаже, негр над фонтаном, Минин и Пожарский, и т.д. — а никак не с человеками, ибо царь и Иоанн Кронштадтский, которых мне, вознеся меня над толпой, показывали, относились не к человекам, а к священным предметам — так это у меня и осталось: к нам в гости приходил сын Памятник-Пушкина. Но скоро и неопределенная принадлежность сына стерлась: сын Памятник-Пушкина превратился в сам Памятник-Пушкина. К нам в гости приходил сам Памятник-Пушкина.

И чем старше я становилась, тем более это во мне, сознанием, укреплялось: сын Пушкина — тем, что был сын Пушкина, был уже памятник. Двойной памятник его славы и его крови. Живой памятник. Так что сейчас, целую жизнь спустя, я спокойно могу сказать, что в наш трехпрудный дом, в конце века, в одно холодное белое утро пришел Памятник-Пушкина.

Так у меня, до Пушкина, до Дон-Жуана, был свой Командор.

Так и у меня был свой Командор.

———

А шел, верней, ехал в наш трехпрудный дом сын Пушкина мимо дома Гончаровых, где родилась и росла будущая художница Наталья Сергеевнаа Гончарова, двоюродная внучка Натальи Николаевны.

Родной сын Пушкина мимо двоюродной внучки Натальи Гончаровой, которая, может быть, на него — не зная, не узнавая, не подозревая, — в ту минуту из окна глядела.

Наши дома с Гончаровой — узнала это только в Париже, в 1928 году — оказались соседними, наш дом был восьмой, своего номера она не помнит.

———

Но что же тайна красной комнаты? Ах, весь дом был тайный, весь дом был — тайна!

Запретный шкаф. Запретный плод. Этот плод — том, огромный сине-лиловый том с золотой надписью вкось — Собрание сочинений А.С. Пушкина.

В шкафу у старшей сестры Валерии живет Пушкин, тот самый негр с кудрями и сверкающими белками. Но до белков — другое сверкание: собственных зеленых глаз в зеркале, потому что шкаф — обманный, зеркальный, в две створки, в каждой — я, а если удачно поместиться — носом против зеркального водораздела, то получается не то два носа, не то один — неузнаваемый.

Толстого Пушкина я читаю в шкафу, носом в книгу и в полку, почти в темноте и почти вплоть и немножко даже удушенная его весом, приходящимся прямо в горло, и почти ослепленная близостью мелких букв. Пушкина читаю прямо в грудь и прямо в мозг.

Мой первый Пушкин — "Цыганы". Таких имен я никогда не слышала: Алеко, Земфира, и еще — Старик. Я стариков знала только одного — сухорукого Осипа в тарусской богадельне, у которого рука отсохла — потому что убил брата огурцом. Потому что мой дедушка, А.Д. Мейн — не старик, потому что старики чужие и живут на улице.

Живых цыган я не видела никогда, зато отродясь слышала про цыганку, мою кормилицу, так любившую золото, что, когда ей подарили серьги и она поняла, что они не золотые, а позолоченные, она вырвала их из ушей с мясом и тут же втоптала в паркет.

Но вот совсем новое слово — любовь. Когда жарко в груди, в самой грудной ямке (всякий знает!) и никому не говоришь — любовь. Мне всегда было жарко в груди, но я не знала, что это — любовь. Я думала — у всех так, всегда — так. Оказывается — только у цыган. Алеко влюблен в Земфиру.

А я влюблена — в "Цыган": в Алеко, и в Земфиру, и в ту Мариулу, и в того цыгана, и в медведя, и в могилу, и в странные слова, которыми всё это рассказано. И не могу сказать об этом ни словом: взрослым — потому что краденое, детям — потому что я их презираю, а главное — потому что тайна: моя — с красной комнатой, моя — с синим томом, моя — с грудной ямкой.

Но в конце концов любить и не говорить — разорваться, и я нашла себе слушательницу, и даже двух — в лице Асиной няньки Александры Мухиной и ее приятельницы — швеи, приходившей к ней, когда мать заведомо уезжала в концерт, а невинная Ася — спала.

— А у нас Мусенька — умница, грамотная, — говорила нянька, меня не любившая, но при случае мною хвастававшаяся, когда исчерпаны были все разговоры о господах и выпиты были все полагающиеся чашки. — А ну-ка, Мусенька, расскажи про волка и овечку. Или про того (барабанщика).

(Господи, как каждому положена судьба! Я уже пяти лет была чьим-то духовным ресурсом. Говорю это не с гордостью, а с горечью.)

И вот, однажды, набравшись духу, с обмирающим сердцем, глубоко глотнув:

— Я могу рассказать про "Цыган".

— Цы-ган? — нянька, недоверчиво, — про каких таких цыган? Да кто ж про них книжки-то писать будет, про побирох этих, руки их загребущие?

— Это не такие. Это — другие. Это — табор.

— Ну, так и есть табор. Всегда возле усадьбы табором стоят, а потом гадать приходит — молодая чертовка: "Дай, барынька, погадаю о твоем талане..." — а старая чертовка — белье с веревки али уж прямо — бриллиантовую брошь с барынина туалета...

— Не такие цыгане. Это — другие цыгане.

— Ну, пущай, пущай расскажет! — приятельница, чуя в моем голосе слезы, — может, и вправду другие какие... Пущай расскажет, а мы — послушаем.

— Ну, был один молодой человек. Нет, был один старик, и у него была дочь. Нет, я лучше стихами скажу. Цыгане шумною толпой — По Бессарабии кочуют — Они сегодня над рекой — В шатрах изодранных ночуют — Как вольность весел их ночлег — и так далее — без передышки и без серединных запятых — до: *звон походной наковальни*, которую, может быть, принимаю за музыкальный инструмент, а может быть, просто — принимаю.

— А складно говорит! как по-писаному! — восклицает швея, тайно меня любящая, но не смеющая, потому что нянька — Асина.

— Мед-ве-едь... — осуждающе произносит нянька, повторяя единственное дошедшее до ее сознания слово.

— А вправду — медведь. Маленькая была, старики рассказывали — завсегда цыгане медведя водили. "А ты, Миша, попляши!" И пляса-ал.

— Ну, а дальше-то, дальше-то что было? (Швея.)

— И вот, к этому старику приходит дочь и говорит, что этого молодого человека зовут Алэко.

Нянька:

— Ка-ак?

— Алэко!

— Ну уж и зовут! И имени такого нет. Как, говоришь, зовут?

— Алэко.

— Ну и Алека — калека!

— А ты — дура. Не Алека, а Алэко!

— Я и говорю: Алека.

— Это ты говоришь: Алека, я говорю: Алэко: э-э-э! о-о-о!!

— Ну, ладно: Алека — так Алека.

— Алёша, — значит, по-нашему (приятельница, примиряюще). — Да дай ей, дура, сказать, — *она* ведь сказывает, не ты. Не серчай, Мусенькая, на няньку, она дура, неученая, а ты грамотная, тебе и знать.

— Ну, эту дочь звали Земфира (грозно и громко:) Земфира — эта дочь говорит старику, что Алеко будет жить с ними, потому что она его нашла в пустыне:

> "Его в пустыне я нашла
> И в табор на ночь зазвала".

А старик обрадовался и сказал, что мы все поедем в одной телеге: "В одной телеге мы поедем — та-та-та-та, та-та-та-та — И села обходить с медведем..."

— С медве-едем, — нянька, эхом.

— И вот они поехали, и потом очень хорошо все жили, и ослы носили детей в корзинах...

— Кто это — в корзинах?..

— Так: "Ослы в перекидных корзинах — Детей играющих несут — Мужья и братья, жены, девы — И стар и млад вослед идут — Крик, шум, цыганские припевы — Медведя рев, его цепей".

Нянька:

— Да уж будет про медведя! Со стариком-то — что?

— Со стариком — ничего, у него молодая жена Мариула, которая от него ушла с цыганом, и эта, тоже, Земфира — ушла. Сначала всё пела: "Старый муж, грозный муж! Не боюсь я тебя!" — это она про него, про отца своего, пела, а потом ушла и села с цыганом на могилу, а Алеко спал и страшно хрипел, а потом встал и тоже пошел на могилу, и потом зарезал цыгана ножом, а Земфира упала и тоже умерла.

Обе в голос:

— Ай-а-ай! Ну и душегуб! Так и зарезал ножом? А старик-то — что?

— Старик — ничего, старик сказал: "Оставь нас, гордый человек!" — и уехал, и все уехали, и весь табор уехал, а Алеко один остался.

Обе в голос:

— Так ему и надо. Не побивши — убивать! А вот у нас в деревне один тоже жену зарезал, — да ты, Мусенька, не слушай (громким шепотом) — застал с полюбовником. И его враз, и ее. Потом на каторгу пошел. Васильем звали... Да-а-а... Какой на свете беды не бывает. А все она, любовь.

————

Пушкин меня заразил любовью. *Словом* — любовь. Ведь разное: вещь, которую никак не зовут, — и вещь, которую *так* зовут. Когда горничная по́ходя сняла с чужой форточки рыжего кота, который сидел и зевал, и он потом три дня жил у нас в зале под пальмами, а потом ушел и никогда не вернулся — это любовь. Когда Августа Ивановна говорит, что она от нас уедет в Ригу и никогда не вернется — это любовь. Когда барабанщик уходил на войну и потом никогда не вернулся — это любовь. Когда розовогазовых нафталинных парижских кукол весной после перетряски опять убирают в сундук, а я стою и смотрю и знаю, что я их больше никогда не увижу — это любовь. То есть *это* — от рыжего кота, Августы Ивановны, барабанщика и кукол так же и там же жжет, как от Земфиры и Алеко и Мариулы и могилы.

А вот волк и ягненок — не любовь, хотя мать меня и убеждает, что это очень грустно.

— Подумай, такой белый, невинный ягненок, который никакой воды не мутил...

— Но волк — *тоже* хороший!

Все дело было в том, что я от природы любила волка, а не ягненка, а в данном случае волка было любить нельзя, потому что он *съел* ягненка, а ягненка я любить — хоть и съеденного и белого — не могла, вот и не выходила любовь, как никогда ничего у меня не вышло с ягнятами.

"Сказал и в темный лес ягненка поволок".

Сказав волк, я назвала Вожатого. Назвав Вожатого — я назвала Пугачева: волка, на этот раз ягненка пощадившего, волка, в темный лес ягненка поволокшего — любить.

Но о себе и Вожатом, о Пушкине и Пугачеве скажу отдельно, потому что Вожатый заведет нас далёко, может быть, еще дальше, чем подпоручика Гринева, в самые дебри добра и зла, в то место дебрей, где они неразрывно скручены и, скрутясь, образуют живую жизнь.

Пока не скажу, что Вожатого я любила больше всех родных и незнакомых, больше всех любимых собак, больше всех закаченных в подвал мячей и потерянных перочинных ножиков, больше всего моего тайного красного шкафа, где он был — главная тайна. Больше "Цыган", потому что он был — черней цыган, *темней* цыган.

И если я полным голосом могла сказать, что в тайном шкафу жил — Пушкин, то сейчас только шепотом могу сказать: в тайном шкафу жил... Вожатый.

———

Под влиянием непрерывного воровского чтения, естественно, обогащался и словарь.

— Тебе какая кукла больше нравится: тетина нюренбергская или крестнина парижская?

— Парижская.

— Почему?

— Потому что у нее глаза страстные.

Мать угрожающе:

— Что-о-о?

— Я, — спохватываясь: — Я хотела сказать: страшные.

Мать еще более угрожающе:

— То-то же!

Мать не поняла, мать услышала смысл и, может быть, вознегодовала правильно. Но поняла — неправильно. Не глаза — страстные, а *я* чувство страсти, вызываемое во мне этими глазами (и розовым газом, и нафталином, и словом Париж, и делом сундук, и недоступностью для меня куклы), приписала — глазам. Не я одна. *Все* поэты. (А потом стреляются — что кукла *не* страстная!) Все поэты, и Пушкин первый.

———

Немножко позже — мне было шесть лет, и это был мой первый музыкальный год — в музыкальной школе Зограф-Плаксиной, в Мерзляковском переулке, был, как это тогда называлось, публичный вечер — рождественский. Давали сцену из "Русалки", потом "Рогнеду" — и:

> Теперь мы в сад перелетим,
> Где встретилась Татьяна с ним.

Скамейка. На скамейке — Татьяна. Потом приходит Онегин, но не садится, а *она* встает. Оба стоят. И говорит только он, все время, долго, а она не говорит ни слова. И тут я понимаю, что рыжий кот, Августа Ивановна, куклы *не* любовь, что *это* — любовь: когда скамейка, на скамейке — она, потом приходит он и все время говорит, а она не говорит ни слова.

— Что же, Муся, тебе больше всего понравилось? — мать, по окончании.

— Татьяна и Онегин.

— Что? Не "Русалка", где мельница, и князь, и леший? Не "Рогнеда"?

— Татьяна и Онегин.

— Но как же это может быть? Ты же там ничего не поняла? Ну, чтó ты там могла понять?

Молчу.

Мать, торжествующе:

— Ага, ни слова не поняла, как я и думала. В шесть лет! Но что же тебе там могло понравиться?

— Татьяна и Онегин.

— Ты совершенная дура и упрямее десяти ослов! (Оборачиваясь к подошедшему директору школы, Александру Леонтьевичу Зографу.) Я ее знаю, теперь будет всю дорогу на извозчике на все мои вопросы повторять: "Татьяна и Онегин!" Прямо не рада, что взяла. Ни одному ребенку мира из всего виденного бы не понравилось "Татьяна и Онегин", все бы предпочли "Русалку", потому что — сказка, понятное. Прямо не знаю, чтó мне с ней делать!!!

— Но почему, Мусенька, "Татьяна и Онегин"? — с большой добротой директор.

(Я, молча, полными словами:) "Потому что — любовь".

— Она наверное уже седьмой сон видит! — подходящая Надежда Яковлевна Брюсова[1], наша лучшая и старшая ученица, — и тут я впервые узнаю, что есть седьмой сон, как мера глубины сна и ночи.

— А это, Муся, что? — говорит директор, вынимая из моей муфты вложенный туда мандарин, и вновь незаметно (заметно!) вкладывая, и вновь вынимая, и вновь, и вновь...

---

[1] Сестра Валерия Брюсова. (*Примеч. М.И. Цветаевой.*)

28

Но я уже совершенно онемела, окаменела, и никакие мандаринные улыбки, его и Брюсовой, и никакие страшные взгляды матери не могут вызвать с моих губ — улыбки благодарности. На обратном пути — тихом, позднем, санном, — мать ругается:

— Опозорила!! Не поблагодарила за мандарин! Как дура — шести лет — влюбилась в Онегина!

Мать ошибалась. Я не в Онегина влюбилась, а в Онегина и в Татьяну (и, может быть, в Татьяну немножко больше), в них обоих вместе, в любовь. И ни одной своей вещи я потом не писала, не влюбившись одновременно в двух (в нее — немножко больше), не в них двух, а в их любовь. В любовь.

Скамейка, на которой они *не* сидели, оказалась предопределяющей. Я ни тогда, ни потом, никогда не любила, когда *целовались*, всегда — когда расставались. Никогда — когда садились, всегда — расходились. Моя первая любовная сцена была нелюбовная: он *не* любил (это я поняла), потому и не сел, любила *она*, потому и встала, они ни минуты не были вместе, ничего вместе не делали, делали совершенно обратное: он говорил, она молчала, он не любил, она любила, он ушел, она осталась, так что если поднять занавес — она одна стоит, а может быть, опять сидит, потому что стояла она только потому, что *он* стоял, а потом рухнула и так будет сидеть вечно. Татьяна на той скамейке сидит вечно.

Эта первая моя любовная сцена предопределила все мои последующие, всю страсть во мне несчастной, невзаимной, невозможной любви. Я с той самой минуты не захотела быть счастливой и этим себя на *нелюбовь* — обрекла.

В том-то и все дело было, что он ее не любил, и только потому она его — *так*, и только для того его, а не другого, в любовь выбрала, что втайне *знала*, что он ее не сможет любить. (Это я сейчас говорю, но *знала* уже тогда, тогда знала, а сейчас научилась говорить.) У людей с этим роковым даром несчастной — единоличной — всей на себя взятой — любви — прямо *гений* на неподходящие предметы.

Но еще одно, не одно, а многое, предопределил во

мне "Евгений Онегин". Если я потом всю жизнь по сей последний день всегда первая писала, первая протягивала руку — и руки, не страшась суда — то только потому, что на заре моих дней лежащая Татьяна в книге, при свечке, с растрепанной и переброшенной через грудь косой, это на моих глазах — сделала. И если я потом, когда уходили (всегда — уходили), не только не протягивала вслед рук, а головы не оборачивала, то только потому, что тогда, в саду, Татьяна застыла статуей.

Урок смелости. Урок гордости. Урок верности. Урок судьбы. Урок одиночества.

———

У кого из народов — такая любовная героиня: смелая и достойная, влюбленная — и непреклонная, ясновидящая — и любящая.

Ведь в отповеди Татьяны — ни тени мстительности. Потому и получается полнота возмездия, поэтому-то Онегин и стоит "как громом пораженный".

Все козыри были у нее в руках, чтобы отмстить и свести его с ума, все козыри — чтобы унизить, втоптать в землю той скамьи, сровнять с паркетом той залы, она все это уничтожила одной только обмолвкой: "Я вас люблю, — к чему лукавить?"

К чему лукавить? Да к тому, чтобы торжествовать! А торжествовать — к чему? А вот на это, действительно, нет ответа для Татьяны — внятного, и опять она стоит, в зачарованном кругу залы, как тогда — в зачарованном кругу сада, — в зачарованном кругу своего любовного одиночества, тогда — непонадобившаяся, сейчас — вожделенная, и тогда и ныне — любящая и любимой быть не могущая.

Все козыри были у нее в руках, но она — не играла.

Да, да, девушки, признавайтесь — первые, и потом слушайте отповеди, и потом выходите замуж за почетных раненых, и потом слушайте признания и не снисходите до них — и вы будете в тысячу раз счастливее нашей другой героини, той, у которой от исполнения всех желаний ничего другого не осталось, как лечь на рельсы.

Между полнотой желания и исполнением желаний,

между полнотой страдания и пустотой счастья мой выбор был сделан отродясь — и дородясь.

Ибо Татьяна до меня повлияла еще на мою мать. Когда мой дед, А.Д. Мейн, поставил ее между любимым и собой, она выбрала отца, а не любимого, и замуж потом вышла лучше, чем по-татьянински, ибо "для бедной Тани все были жребии равны" — а моя мать выбрала самый тяжелый жребий — вдвое старшего вдовца с двумя детьми, влюбленного в покойницу, — на детей и на чужую беду вышла замуж, любя и продолжая любить — *того*, с которым потом никогда не искала встречи и которому, впервые и нечаянно встретившись с ним на лекции мужа, на вопрос о жизни, счастье и т.д., ответила: "Моей дочери год, она очень крупная и умная, я совершенно счастлива..." (Боже, как в эту минуту она должна была меня, умную и крупную, ненавидеть за то, что я — не *его* дочь!)

Так, Татьяна не только на всю мою жизнь повлияла, но на самый факт моей жизни: не было бы пушкинской Татьяны — не было бы меня.

Ибо женщины *так* читают поэтов, а не иначе.

Показательно, однако, что мать меня Татьяной не назвала — должно быть, все-таки — пожалела девочку...

———

С младенчества посейчас, весь "Евгений Онегин" для меня сводится к трем сценам: той свечи — той скамьи — того паркета. Иные из моих современников усмотрели в "Евгении Онегине" блистательную шутку, почти сатиру. Может быть, они правы, и может быть, не прочти я его до семи лет... но я прочла его в том возрасте, когда ни шуток, ни сатиры нет: есть темные сады (как у нас в Тарусе), есть развороченная постель со свечой (как у нас в детской), есть блистательные паркеты (как у нас в зале) и есть любовь (как у меня в грудной ямке).

Быт? ("Быт русского дворянства в первой половине XIX века".) Нужно же, чтобы люди были как-нибудь одеты.

———

После тайного сине-лилового Пушкина у меня появился другой Пушкин — уже не краденый, а дарёный, не тайный, а явный, не толсто-синий, а тонко-синий, — обезвреженный, приручённый Пушкин издания для городских училищ с негрским мальчиком, подпирающим кулачком скулу.

В этом Пушкине я любила только негрского мальчика. Кстати, этот детский негрский портрет по сей день считаю лучшим из портретов Пушкина, портретом далекой африканской души его и еще спящей — поэтической. Портрет в две дали — назад и вперед, портрет его крови и его грядущего гения. Такого мальчика вторично избрал бы Петр, такого мальчика тогда и избрал.

Книжку я не любила, это был *другой* Пушкин, в нем и "Цыганы" были другие, без Алеко, без Земфиры, с одним только медведем. Это была тайная любовь, ставшая явной. Но, помимо содержания, отвращало уже само название: *для городских училищ,* вызывающее что-то злобное, тощее и унылое, а именно — лица учеников городских училищ, — бедные лица: некормленные, грязные, посиневшие от мороза, как сам Пушкин, лица — внушавшие бы жалость, если бы не пара угрожающих кулаков классовой ненависти, лица, несмотря на эти кулаки, наверное, кому-нибудь жалость внушавшие, но любви внушить не могшие. Тощие, синие и злобные. Два кулака. Поперек запавшего живота — с огромной желтой бляхой, городских училищ, ремень.

> Птичка Божия не знает
> Ни заботы, ни труда,
> Хлопотливо не свивает
> Долговечного гнезда.

Так что же она тогда делает? И кто же тогда вьет гнездо? И есть ли вообще такие птички, кроме кукушки, которая не птичка, а целая птичища? Эти стихи явно написаны про бабочку.

Но такова сила поэтического напева, что никому, кажется, за больше чем сто лет, в голову не пришло эту птичку *проверить* — и меньше всего — шестилетней тогдашней — мне. Раз сказано, так — *так*. В *стихах* — так. Эта птичка — поэтическая вольность. Интересно, что думают об этой птичке трезвые школьники Советской России?

"Зима, крестьянин торжествуя" на второй странице городских училищ Пушкина я средне-любила, любила (раз стихи!), но по-домашнему, как Августе Ивановну, когда *не* грозится уехать в Ригу. Слишком уж все было похоже. "В тулупе, в красном кушачке" — это Андрюша, а "крестьянин торжествуя" — это дворник, а дровни — это дрова, а мать — наша мать, когда мы, поджидая няню на прогулку к Памятник-Пушкину, едим снег или лижем лед. Еще стихи возбуждали зависть, потому что мы во дворе никогда не играли — только им проходили — потому что вдруг у андреевских детей (семьи, снимавшей флигель) окажется скарлатина? И жучку в салазки не садили, а салазки — были, синие, бархатные, с темно-золотыми гвоздями (глазами). И, помимо высказанного, "Зима, крестьянин торжествуя", под видом стихов были басни, которые, под видом стихов — проза и которые я в каждой новой хрестоматии неизменно читала — последними. Сейчас же скажу: "Зима, крестьянин торжествуя" были — идиллия, то есть та самая счастливая любовь, ни смысла, ни цели, ни наполнения которой я так никогда и не поняла.

Чтобы кончить о синем, городских училищ, Пушкине: он для любви был слишком худ, — ни с трудом поднять, ни, тяжело вздохнув, обнять, прижать к неизменно-швейцарскому и неизменно-тесному фартуку, — ни в руках ничего, ни для глаз ничего, точно *уже* прочел.

Я вещи и книги, а потом и своих детей, и вообще детей, неизменно любила и люблю — еще и на вес. И поныне, слушая расхваливаемую новую вещь: "А длинная?" — "Нет, маленькая повесть". — "Ну, тогда читать *не* буду".

Андрюшина хрестоматия была несомненно-толстая, ее распирало Багровым-внуком и Багровым-дедом, и лихорадящей матерью, дышащей прямо в грудь ребенку, и всей безумной любовью этого ребенка, и ведрами рыбы, ловимой дурашливым молодым отцом, и "Ты опять не спишь?" — Николенькой, и всеми теми гончими и борзыми, и всеми лирическими поэтами России.

Андрюшиной хрестоматией я завладела сразу: он читать не любил, и даже не терпел, а тут нужно было не только читать, а учить, и списывать, и излагать своими словами, я же была нешкольная, вольная, и для меня хрестоматия была — только любовь. Мать не отнимала: раз хрестоматия — ничего преждевременного. *Вся* литература для ребенка преждевременна, ибо *вся* говорит о вещах, которых он не знает и не может знать. Например:

> Кто при звездах и при луне
> Так поздно едет на коне?

(Андрюша, на вопрос матери: "А я почём знаю?")

> ...Зачем он шапкой дорожит?
> Затем, что в ней донос зашит.
> Донос на Гетмана-злодея
> Царю-Петру от Кочубея.

Не знаю, как другие дети: так как я из всего четверостишия понимала только злодея и так как злодей здесь в окружении трех имен, то у меня злодея получалось — три: Гетман, Царь-Петр и Кочубей, и я долго потом не могла понять (и сейчас не совсем еще понимаю), что злодей — один и кто именно. Гетман для меня по сей день — Кочубей и Царь-Петр, а Кочубей — по сей день Гетман, и т.д., и три стало одно, и это одно — злодей. Донос я, конечно, тоже не понимала, и объяснили бы — не поняла бы, внутренне не поняла бы, как и сейчас не понимаю — возможности написать донос. Так и осталось: летит казак под несуществующе-ярким (сновиденным!) небом, где одновременно (никогда не бывает!) и звезды, и луна, летит казак, осыпанный звездами и облитый луною — точно чтобы его лучше видели! — а на голове шапка, а в шапке неизвестная вещь *донос*,

— донос на Гетмана-злодея Царю-Петру от Кочубея.

Это была моя первая встреча с историей, и эта первая историческая история была — злодейство. Больше скажу: когда я во время Гражданской войны слышала Гетман (с добавлением: Скоропадский), я сразу видела того казака, который — падает.

Но с Царем-злодеем у меня была еще другая хрестоматическая встреча: "Кто он?" И опять мать Андрюше: "Ну, Андрюша, кто же был — он?" И опять Андрюша, честно, тоскливо и даже возмущенно: "А я почём знаю?" (Что за странный мир — стихи, где *взрослые* спрашивают, а *дети* отвечают!) "Ну, а ты, Муся? Кто же был — *он*? — Великан". — "Почему великан?" — "Потому что он сразу всё починил". — "А что значит "И на счастие Петрово"?" — "Не знаю". — "Ну, что значит Петрово?" (В голове ничего, кроме начертания слова : Петрово.) "Ты не знаешь, что такое Петрово?" — "Нет". — "А Андрюшино — знаешь?" — "Да. Андрюшин штекенпферд, Андрюшин велосипед, Андрюшины салазки..." — "Довольно, довольно. Ну и *Петрово* то же самое. Петрово — понимаешь? Счастье — понимаешь? (Молчу.) *Счастья* не понимаешь?" — "Понимаю. Счастье, это когда мы пришли с прогулки и вдруг дедушка приехал, и еще когда я нашла у себя в кровати..." — "Достаточно. На счастие Петрово значит на Петрово счастье. А кто этот Петр?" — "Это..." — "Кто он? Что?" — "То есть чудесный гость. Смотрит долго в ту сторонку — Где чудесный гость исчез..." — "А как этого чудесного гостя зовут?" Я, робко: "Может быть — Петр?" — "Ну, слава Богу!.. (С внезапной подозрительностью.) Но Петров много. Какой же это был Петр? (И отчаявшись в ответе:) Это был тот самый Петр, который...

> Донос на Гетмана-злодея
> Царю-Петру от Кочубея.

Поняла?"

Еще бы! Но и увы! Только было начавший проясняться Петр опять был ввергнут в ту мрачно-сверкающую, звездно-лунную казачье-скачущую шапочно-доносную нощь и, что еще хуже, этот Петр, который починил старику челн, значит, как будто бы сделал доброе дело, оказался тем самым злодеем Кочубеем и Гетманом. И опять встал под гигантский — в новый месяц! — вопросительный знак: "Кто?" Когда Петр — то всегда: кто? Петр, это когда никак нельзя догадаться.

Но и обратное: как только в стихах звучал вопрос, сразу являлось подозрение на Петра.

> Отчего пальба и клики
> В Петербурге-городке?

Ответ: "Понятно, Петр!" Но что же он именно сделал, ибо раз подсказывают — не то, всё, что подсказывают — не то. Особенно же и до смешного не то:

> Родила ль Екатерина,
> Именинница ль она,
> Чудотворца-исполина
> Чернобровая жена?

Родила я не понимала, понимала только родилась, ни о какой Екатерине, жене Петра, я никогда не слышала, а чудотворец был Николай Чудотворец, то есть старик и святой, у которого нет жены. А в стихах — есть. Ну, женатый чудотворец.

Но, Боже, какое облегчение, когда после стольких отчего и стольких явно ложных подсказок, — наконец, блаженное оттого! "Оттого-то шум и клики — в Петербурге-городке".

Только сейчас, проходя пядь за пядью Пушкина моего младенчества, вижу, до чего Пушкин любил прием вопроса: "Отчего пальба и клики? — Кто он? — Кто при звездах и при луне? — Черногорцы, что такое?" — и т.д. Если бы мне тогда совсем поверить, что он действительно не знает, можно было бы подумать, что поэт из всех людей тот, кто ничего не знает, раз даже у меня, ребенка, спрашивает. Но раздраженный ребенок чуял, что это — нарочно, что он не спрашивает, а знает, и чуя, что он меня ловит, и ни одной подсказке не веря, я каждую, невольно, видела, — строка за строкой, как умела, по-своему, стихи — видела. Историческому Пушкину своего младенчества я обязана незабвенными видениями.

Но не могу от своего тогдашнего и своего теперешнего лица не сказать, что вопрос, в стихах, — прием раздражительный, хотя бы потому, что каждое *отчего* требует и сулит *оттого* и этим ослабляет самоценность всего процесса, все стихотворение обращает в промежуток, приковывая наше внимание к конечной внешней цели, которой у стихов быть не должно. Настойчивый вопрос стихи обращает в загадку и задачу, и если каждое стихотворение само есть загадка и задача, то не *та* загадка, на которую готовая отгадка, и не та задача, на которую ответ в задачнике.

Зато в "Утопленнике" — ни одного вопроса. Зато — сюрпризы. Во-первых, эти дети, то есть *мы* играем одни на реке, во-вторых, *мы* противно зовем отца: тятя! а в-третьих, — *мы* не боимся мертвеца. Потому что кричат они не страшно, а весело, вот так, даже подпевают: "Тятя! Тятя! Наши сети! Притащили! Мертвеца!" — "Врите, врите, бесенята, — заворчал на них отец. — Ох, уж эти мне ребята! Будет вам, ужо, мертвец!" Этот ужо-мертвец был, конечно, немножко уж, уж, которого, потому что стихи, зовут *ужо*. Я говорю: немножко — уж, уж, которого я никогда не додумывала и, из-за его не совсем-определенности, особенно громко выкрикивала, произнося так: Будет вам! *Ужо*-мертвец! Если бы меня тогда спросили, картина получилась бы приблизительно такая: в земле живут ужи — мертвецы, а этого мертвеца зовут *Ужо*, потому что он немножко ужиный, ужовый, с ужом рядом лежал.

Ужей я знала по Тарусе, по Тарусе и утопленников. Осенью мы долго, долго, до ранних черных вечеров и поздних темных утр заживались в Тарусе, на своей одинокой — в двух верстах от всякого жилья — даче, в единственном соседстве (нам — минуту сбежать, *тем* — минуту взойти) реки — Оки ("Рыбы мало ли в реке!"), — но не только рыбы, потому что летом всегда кто-нибудь тонул, чаще мальчишки — опять затянуло под плот, — но часто и пьяные, а часто и трезвые, — и однажды затонул целый плотогон, а тут еще дедушка Александр Данилович умер, и мать с отцом уехали на сороковой день и потом остались из-за завещания, и хотя я знала, что это грех, потому что дедушка любил меня больше Аси — и глупость — потому что дедушка совсем не утонул, а умер от рака — от рака? но ведь:

> И в распухнувшее тело
> Раки черные впились!

...словом, сквозь стеклянную дверь столовой — привиденские столбы балкона, а под ними, со всей рекой, притащившейся по пятам:

> Уж с утра погода злится,
> Ночью буря настает,
> И утопленник стучится
> Под окном и у ворот —

Ужо-мертвец с неопределенным двоящимся лицом дедушки Александра Даниловича и затонувшего плотогона.

Зато другие страшные стихи, "Вурдалак", были совсем не страшные, хотя бы потому, что Ваня сразу оказывается трусоват и с первой строки — своим потом и от страху бледностью — возбуждает презрение, которое, как известно, лечит от всех страстей, вплоть до сильнейшей из них (во мне) страсти страха. "Это, верно, кости гложет красногубый вурдалак". Кто, вообще, гложет кости? Собака. Вурдалак — собака, с красными губами. Черная (потому что — ночь) собака с красными губами. А дурак (бедняк) испугался. Весь эффект страха пропадал от этих глодаемых костей, которые ребенок не может не приписать собаке. Страшилище-вурдалак сразу оказывается той собакой, которой у Пушкина оказывается только в последней строке, то есть ни секунды не пребывает вурдалаком. Так что от всего страха остается только *слово* вурдалак, то есть название стихотворения. Конечно, слово вурдалак — неприятное (немножко лакающее), и та самая собака — не совсем собачья, иначе бы не называлась вурдалак, и красные губы ее, видные даже ночью, сомнительны, и занятие ее — приносить свою кость именно на могилу — несколько гадостное, но все это отнюдь не оправдывало в моих глазах Ваниного страха. Вот если бы Ваня шел через кладбище без всякой собаки — тогда было бы страшно. А так собака, наоборот, оживляет. (То же, что в "Вие", где страшно только одиночество Хомы с покойницей и где страх — явлением Вия, а потом и виев — разряжается. Когда *много* — всегда *весело*.)

Ну, странная, подозрительная собака, а Ваня — явный бессомнительный дурак — и бедняк — и трус. И еще — злой: "Вы представьте Вани злость!" И — представляем: то есть Ваня мгновенно дает собаке сапогом. Потому что — злой... Ибо для правильного ребенка бóльшего злодейства нет, чем побить собаку: лучше убить гувернантку. Злой мальчик и собака — действие этим соседством предуказано.

И кончалось, как всегда со всем любимым, — слезами: такая хорошая серо-коричневая, немножко черная собака с немножко красными губами украла на кухне кость и ушла с ней на могилу, чтобы кухарка не отняла, и вдруг какой-то трус Ваня шел мимо и дал ей сапогом. В ее чудную мокрую морду. У-у-у...

Но самое любимое из страшных, самое по-родному страшное и по-страшному родное были — "Бесы". "Мчатся тучи, вьются тучи — Невидимкою луна..."

Все страшно — с самого начала: луны не видно, а она — есть, луна — невидимка, луна в шапке-невидимке, чтобы все видеть и чтобы ее не видели. Странное стихотворение (состояние), где сразу можно быть (нельзя не быть) всем: луной, ездоком, шарахающимся конем и — о, сладкое обмирание — *ими*! Ибо нет читателя, который одновременно бы не сидел в санях и не пролетал над санями, там, в беспредельной вышине, на разные голоса не выл и там, в санях, от этого воя не обмирал. Два полета: саней и туч, и в каждом *ты* — летишь. Но помимо едущего и летящих, я была еще третьим: луною, — той, что, невидимая, видит: Пушкина, над ним — Бесов, и над Пушкиным и Бесами — сама летит.

Страх и жалость (еще гнев, еще тоска, еще защита) были главные страсти моего детства, и там, где им пищи не было — меня не было. Но какая иная жалость, нежели к Вурдалаку, заливала меня в "Бесах" и к бесам! Собаку я жалела — утробно: низкой и жаркой сочувственной жалостью чрева, жалостью — защитой: убить Ваню, убить кухарку и отдать собаке всю плиту со сковородками и кастрюльками, а может быть, и самого Ваню на съедение. Бесов же — жалостью высокой, жалостью — восторгом и восхищением, как потом жалела Наполеона на Св. Елене и Гёте в Веймаре. Я знала, что "...домового ли хоронят? Ведьму ль замуж выдают?" — только так, что никого они не похоронят, не выдай замуж — всё равно будут жаловаться, что дедушку-то они хоронят и девушку замуж выдают — чтобы лучше было жаловаться. Что жалуются они не потому, что, — а потому что они — они и никогда другими не будут и быть не могут. (Шепотом: потому что Бог их проклял!) Любовь к проклятому.

И еще: я ведь знала, что они — тучи! Что они — серые, мягкие, что их даже как-то нет, что их тронуть нельзя, обнять нельзя, что между ними, с ними, *ими* — можно только мчаться! Что это — воздух, который воет! Что их — нет.

"Сквозь волнистые туманы пробирается луна..." — опять пробирается, как кошка, как воровка, как огромная волчица в стадо спящих баранов (бараны... туманы...). "На печальные поляны льет печальный свет она..." О, Господи, как печально, как дважды печально, как безысходно, безнадежно печально, как навсегда припечатано — печалью, точно Пушкин этим повторением печаль луною как печатью к поляне припечатал. Когда же я доходила до: "Что-то слышится родное в вольных песнях ямщика", — то сразу попадала в:

Вы, очи, очи голубые,
Зачем сгубили молодца?
О люди, люди, люди злые,

И эти очи голубые — опять были луною, точно луна на этот раз в два глаза взглянула, и одновременно я знала, что они под черными бровями у дéвицы-души, может быть, той самой, по которой плачут бесы, потому что ее замуж выдают.

Читатель! Я знаю, что "Вы, очи-очи голубые" — не Пушкин, а песня, а может быть, и романс, но тогда я этого не знала и сейчас внутри себя, где всё — еще всё, это не знаю, потому что "разрывая сердце мое" и "сердечная тоска", молодая бесовка и девица-душа, дорога и дорога, разлука и разлука, любовь и любовь — одно. Все это называется Россия и мое младенчество, и если вы меня взрежете, вы, кроме бесов, мчащихся тучами, и туч, мчащихся бесами, обнаружите во мне еще и те голубых два глаза. *Вошли в состав.*

"Подруга дней моих суровых — Голубка дряхлая моя!" — как это не походило на Асину няню, не старую и не молодую, с противной фамилией Мухина, как это походило на *мою* няню, которая бы у меня была и которой у меня не было. И как это походило на наш клюющий и воркующий, клюющий и рокочущий, сизо-голубой голубиный двор. (Моя няня была бы — *голубка*, а Асина — Мухина.)

Голубка я слово знала, так отец всегда называл мою мать — ("А не думаешь ли, голубка? — А не полагаешь ли, голубка? — А Бог с ними, голубка!") — кроме как голубка не называл никак, но *подруга* было новое, мы с Асей росли одиноко, и подруг у нас не было. Слово подруга — самое любовное из всех — впервые прозвучало мне обращенное к старухе. "Подруга дней моих суровых — Голубка дряхлая моя!" Дряхлая голубка — значит, очень пушистая, пышная, почти меховая голубка, почти муфта — голубка, вроде маминой котиковой муфты, которая была бы голубою, и так Пушкин называл свою няню, потому что ее любил. Скажу: подруга, скажу: голубка — и заболит.

Кого я жалела? *Не* няню. Пушкина. Его тоска по няне превращалась в тоску по нему, тоскующему. И потом, все-таки няня сидит, вяжет, мы ее видим, а он — что? А он — где? "Одна в глуши лесов сосновых — Давно, давно ты ждешь меня". Она — *одна*, а его совсем нет! Леса сосновые я тоже знала, у нас в Тарусе, если идти пачёвской ивовой долиной — которую мать называла Шотландией — к Оке, вдруг — целый красный остров: сосны! С шумом, с треском, с краской, с запахом, после ивового однообразия и волнообразия — целый пожар!

Мама из коры умеет делать лодочки, и даже с парусом, я же умею только есть смолу и обнимать сосну. В этих соснах никто не живет. В этих соснах, в таких же соснах, живет пушкинская няня. "Ты под окном своей светлицы..." — у нее очень светлое окно, она его все время протирает (как мы в зале, когда ждем дедушкиного экипажа) — чтобы видеть, не едет ли Пушкин. А он все не едет. Не приедет никогда.

Но любимое во всем стихотворении место было — "Горюешь будто на часах", причем "на часах", конечно, не вызывало во мне образа часового, которого я никогда не видела, а именно часов, которые всегда видела, везде видела... Соответствующих часовых видений — множество. Сидит няня и горюет, а над ней — часы. Либо горюет и вяжет и все время смотрит на часы. Либо — так горюет, что даже часы остановились. *На часах* было и под часами, и на часы, — дети к падежам нетребовательны. Некая же, все же, смутность этого *на часах* открывала все часовые возможности, вплоть до одного, уже совершенно туманного видения: есть часы зальные, в ящике, с маятником, есть часы над ларем — лунные, и есть в материнской спальне кукушка, с домиком, — с кукушкой, выглядывающей из домика. Кукушка, из окна выглядывающая, точно кого-то ждущая... А няня ведь с первой строки — голубка...

Так, на часах было и под часами, и на часы и в конце концов немножко и в часах, и все эти часы еще подтверждались последующей строкою, а именно — спицами, этими стальными близнецами стрелок. Этими спицами в наморщенных руках няни и кончалось мое хрестоматическое "К няне".

Составитель хрестоматии, очевидно, усумнился в доступности младшему возрасту понятий тоски, предчувствия, заботы, теснения и всечастности. Конечно, я кроме *своей* тоски из двух последних строк не поняла бы ничего. Не поняла бы, но — заполнила. И — запомнила. А так у меня до сих пор между наморщенными руками и забытыми воротами — секундная заминка, точно это пушкинский конец к тому хрестоматическому — приращён. Да, чтó знаешь в детстве — знаешь на всю жизнь, но и: чего не знаешь в детстве — не знаешь на всю жизнь.

Из знаемого же с детства: Пушкин из всех женщин на свете больше всего любил свою няню, которая была *нé* женщина. Из "К няне" Пушкина я на всю жизнь узнала, что старую женщину — потому что родная — можно любить больше, чем молодую — потому что молодая и даже потому что — любимая. Такой нежности слов у Пушкина не нашлось ни к одной.

Такой нежности слова к старухе нашлись только у недавно умчавшегося от нас гения — Марселя Пруста. Пушкин. Пруст. Два памятника сыновности.

———

Глядя назад, теперь вижу, что стихи Пушкина, и вообще стихи, за редкими исключениями чистой лирики, которой в моей хрестоматии было мало, для меня до семилетней и семилетней были — ряд загадочных картинок, — загадочных только от материнских вопросов, ибо в стихах, как в чувствах, только вопрос порождает непонятность, выводя явление из его состояния данности. Когда мать не спрашивала — я отлично понимала, то есть и понимать не думала, а просто — видела. Но, к счастью, мать не всегда спрашивала, и некоторые стихи оставались понятными.

Делибаш. "Перестрелка за холмами — Смотрит лагерь их и наш — На холме пред казаками — Вьется красный делибаш". Делибаш — бес. Потому и красный. Потому и вьется. Бьются — казак с бесом. Каково же было мое изумление — и огорчение, когда в Праге, в 1924 году сначала от одного русского студента, потом от другого, потом от третьего услышала, что делибаш — черкесское знамя, а вовсе не сам черкес (бес). "Помилуйте, ведь у Пушкина "Вьется красный делибаш!" Как же *черкес* может *виться*? Знамя — вьется!" — "Отлично может виться. Весь черкес со своей одеждой". — "Ну, уж это модернизм. Пушкин от модернистов отличается тем, что пишет просто, в этом и вся его гениальность. Что может виться? Знамя". — Я всегда понимала "Делибаш уже на пике, а казак без головы" — что оба одновременно друг друга уничтожили. Это-то мне и нравилось". — "Чистейшая поэтическая фантазия! Бедный Пушкин в гробу бы перевернулся! "Делибаш уже на пике" значит — знамя уже на пике, а казак в эту минуту знаменосцем обезглавлен". — "Ну та́к мне что-то обидно: почему казак обезглавлен, а черкес жив? И как *знамя* может быть на *пике*?? Мне по-моему больше нравилось". — "Уж это как вам угодно, а Пушкин так написал. Не будете же вы исправлять Пушкина, как большевики!"

Так я и осталась в огорченном убеждении, что делибаш — знамя, а я всю ту молниеносную сцену взаимоуничтожения — выдумала, и вдруг — в 1936 году — сейчас вот — глазами стихи перечла и — о, радость!

> Эй, казак, не рвися к бою!
> Делибаш на всем скаку
> Срежет саблею кривою
> С плеч удалую башку!

Это знамя-то срежет саблею кривою казаку с плеч башку??

Так бедный семилетний варвар правильнее понял *умнейшего мужа России*, нежели в четырежды его старшие воспитанники Пражского университета.

Но сплошная загадка было стихотворение "Черногорцы? Что такое? — Бонапарте вопросил" — с двумя неизвестными, по одному на каждую строку: Черногорцами и Бонапарте, Черногорцами, усугубленно-неизвестными своей неизвестностью второму неизвестному — Бонапарте.

"А Бонапарте — что такое?" — нет, я этого у матери не спросила, слишком памятуя одну с ней нашу для меня злосчастную прогулку "на пеньки": мою первую и единственную за всё детство попытку вопроса: "Мама, что такое Наполеон?" — "Как? Ты не знаешь, что такое Наполеон?" — "Нет, мне никто не сказал". — "Да ведь это же — в воздухе носится!"

Никогда не забуду чувство своей глубочайшей безнадежнейшей опозоренности: я не знала того — что в воздухе носится! Причем, "в воздухе носится" я, конечно, не поняла, а увидела: что-то называется Наполеоном и что в воздухе носится, что очень вскоре было подтверждено теми же хрестоматическими "Воздушным кораблем" и "Ночным смотром".

Черногорцев я себе, конечно, представляла совершенно черными: неграми — представляла, Пушкиным — представляла, и горы, на которых живет это племя злое, — совершенно черные: черные люди в черных горах: на каждом зубце горы — как дети рисуют — по крохотному злому черному черногорчику (просто — чертику). А Бонапарте, наверное, красный. И страшный. И один на одной горе. (Что Бонапарте — тот же Наполеон, который в воздухе носится, я и не подозревала, потому что мать, потрясенная возможностью такого вопроса, ответить — забыла.)

Не мать и никто другой. Мне на вопрос, что такое Наполеон, ответил сам Пушкин.

———

— Ася! Муся! А что я вам сейчас скажу-у-у! — это длинный, быстрый, с немножко-волчьей — быстрой и смущенной — улыбкой Андрюша, гремя всей лестницей, ворвался в детскую. — У мамы сейчас был доктор Ярхо — и сказал, что у нее чахотка — и теперь она умрет — и будет нам показываться вся в белом!

Ася заплакала, Андрюша запрыгал, я — я ничего не успела, потому что следом за Андрюшей уже входила мать.

— Дети! Сейчас у меня был доктор Ярхо и сказал,

что у меня чахотка, и мы все поедем к морю. Вы рады, что мы едем к морю?

— Нет! — уже всхлипывала Ася, — потому что Андрюша сказал, что ты умрешь и будешь нам показываться...

— Врет! врет! врет.

— ...вся в белом. Правда, Муся, он говорил?

— Правда, Муся, что я *не* говорил? Что это *она* сказала?

— Во всяком случае — кто бы ни сказал, — а сказал, конечно, ты, Андрюша, потому что Ася еще слишком мала для такой глупости, — сказал глупость. Так сразу умереть и показываться? Совсем я не умру, а наоборот, мы все поедем к морю.

К Морю.

Всё предшествовавшее лето 1902 года я переписывала его из хрестоматии в самосшивную книжку. Зачем в книжку, раз есть в хрестоматии? Чтобы всегда носить с собой в кармане, чтобы с Морем гулять в Пачёво и на пеньки, чтобы *моё* было, чтобы я сама написала.

Все на воле: я одна сижу в нашей верхней балконной клетке и, обливаясь потом, — от июля, полдня, чердачного верха, а главное от позапрошлогоднего предсмертного дедушкиного карлсбадского добереженого до неносимости и невыносимости платья — обливаясь потом и разрываясь от восторга, а немножко и от всюду врезающегося пикея, переписываю черным отвесным круглым, крупным и все же тесным почерком в самосшивную книжку — "К морю". Тетрадка для любви худа, да у меня их и нет: мать мне на писание бумаги не дает, дает на рисование. Книжка — десть писчей бумаги, сложенной ввосьмеро, где нужно разрезанной и прошитой посредине только раз, отчего книжка топырится, распадается, распирается, разрывается — вроде меня в моих пикеях и шевиотах — как я ни пытаюсь ее сдвинуть, все свободное от писания время сидя на ней всем весом и напором, а на ночь кладя на нее мой любимый булыжник — с искрами. Не на нее, а на них, ибо за лето — которая?

Перепишу и вдруг увижу, что строки к концу немножко клонятся, либо, переписывая, пропущу слово, либо кляксу посажу, либо рукавом смажу конец страницы — и кончено: этой книжки и уже любить не буду, это не книжка, а самая обыкновенная детская мазня. Лист вырывается, но книга с вырванным листом — гадкая книга, берется новая (Асина или Андрюшина) десть — и терпеливо, неумело, огромной вышивальной иглой (другой у меня нет) шьется новая книжка, в которую с новым усердием: "Прощай, свободная стихия!"

Стихия, конечно, — стихи, и ни в одном другом стихотворении это так ясно не сказано. А почему прощай? Потому что, когда любишь, всегда прощаешься. Только и любишь, когда прощаешься. А "моей души предел желаний" — предел, это что-то твердое, каменное, очень прочное, наверное, его любимый камень, на котором он всегда сидел.

Но самое любимое слово и место стихотворения:

> *Вотще* рвалась душа моя!

Вотще — это туда. Куда? Туда, куда и я. На тот берег Оки, куда я никак не могу попасть, потому что между нами Ока, еще в La Chaux de Fonds, в тетино детство, где по ночам ходит сторож с доской и поет: "Gué, bon gué! Il a frappé dix heures!"[1] — и все тушат огни, а если не тушат, то приходит доктор или сажают в тюрьму; *вотще* — это в чуждую семью, где я буду одна без Аси и самая любимая дочь, с другой матерью и с другим именем — может быть, Катя, а может быть, Рогнеда, а может быть, сын Александр.

> Ты ждал, ты звал. Я был окован.
> Вотще рвалась душа моя!
> Могучей страстью очарован
> У берегов остался я.

Вотще — это туда, а могучей страстью — к морю, конечно. Получалось, что именно из-за такого желания *туда* Пушкин и остался у берегов.

---

[1] Стража не спит! Пробило десять! *(фр.)*

Почему же он не поехал? Да потому, что могучей страстью очарован, так хочет — что прирос! (В этом меня утверждал весь мой опыт с *моими* детскими желаниями, то есть полный физический столбняк.) И, со всем весом судьбы и отказа:

> У берегов остался я.

(Боже мой! Как человек теряет с обретением пола, когда *вотще, туда, то, там* начинает называться именем, из всей синевы тоски и реки становится лицом, с носом, с глазами, а в моем детстве и с пенсне, и с усами... И как мы люто ошибаемся, называя это — *тем*, и как *не* ошибались — тогда!)

Но вот имя — без отчества, имя, к которому на могильной плите последние верные с непогрешимым чутьем малых сил отказались приставить фамилию (у этого человека было два имени, фамилии не было) — и плита осталась пустой.

> Одна скала, гробница славы...
> Там погружались в хладный сон
> Воспоминанья величавы:
> Там угасал Наполеон...

О, прочти я эти строки раньше, я бы не спросила: "Мама, что такое Наполеон?" Наполеон — тот, кто погиб среди мучений, тот, кого замучили. Разве мало — чтобы полюбить на всю жизнь?

> ...И вслед за ним, как бури шум,
> Другой от нас умчался гений,
> Другой властитель наших дум.

Вижу звездочку и внизу сноску: Байрон.

Но уже не вижу звездочки; вижу: над чем-то, что есть — море, с головой из лучей, с телом из тучи, мчится *гений*. Его зовут Байрон.

Это был апогей вдохновения. С "Прощай же, море..." начинались слезы. "Прощай же, море! Не забуду..." —

ведь он же это морю — обещает, как я — моей березе, моему орешнику, моей елке, когда уезжаю из Тарусы. А море, может быть, не верит и думает, что — забудет, тогда он опять обещает: "И долго, долго слышать буду — Твой гул в вечерние часы..." (Не забуду — буду —)

> В леса, в пустыни молчаливы
> Перенесу, тобою полн,
> Твои скалы, твои заливы,
> И блеск, и тень, и говор волн.

И вот — видение: Пушкин, переносящий, проносящий над головой — все море, которое еще и внутри него (тобою полн), так что и внутри у него все голубое — точно он весь в огромном дó неба хрустальном продольном яйце, которое еще и в нем (Моресвод). Как тот Пушкин на Тверском бульваре держит на себе все небо, так этот перенесет на себе — все море — в пустыню и там прольет его — и станет море.

> В леса, в пустыни молчаливы
> Перенесу, тобою полн,
> Твои скалы, твои заливы,
> И блеск, и тень, и говор волн.

Когда я говорила *волн*, слезы уже лились, каждый раз лились, и от этого тоже иногда приходилось начинать новую десть.

————

Об этой любви моей, именно из-за явности ее, никто не знал, и когда в ноябре 1902 года мать, войдя в нашу детскую, сказала: к морю — она не подозревала, что произносит магическое слово, что произносит *К Морю*, то есть дает обещание, которое не может сдержать.

С этой минуты я ехала *К Морю*, весь этот предотъездный, уже внешкольный и бездельный, бесконечный месяц одиноко и непрерывно ехала *К Морю*.

По сей день слышу свое настойчивое и нудное, всем и каждому: "Давай помечтаем!" Под бред, кашель и задыхание матери, под гулы и скрипы сотрясаемого отъездом дома — упорное — сомнамбулическое — и диктаторское, и нищенское: "Давай помечтаем!" Ибо прежде, чем поймешь, что *мечта* и *один* — одно, что мечта — уже вещественное доказательство одиночества, и источник его, и единственное за него возмещение, равно как одиночество — драконов ее закон и единственное поле действия — пока с этим смиришься — жизнь должна пройти, а я была еще очень маленькая девочка.

— Ася, давай помечтаем! Давай немножко помечтаем! Совсем немножко помечтаем!

— Мы уже сегодня мечтали, и мне надоело. Я хочу рисовать.

— Ася! Я тебе дам то, Сергей-Семёныча, яичко.

— Ты его треснула.

— Я его внутри треснула, а снаружи оно целое.

— Тогда давай. Только очень скоро давай — помечтаем, потому что я хочу рисовать.

Яичко давалось, но тут же и отбиралось, потому что у Аси, кроме камешков и ракушек, в резерве морской мечты не было ничего. Иногда я ее, за эти ракушки, била.

С Асей *К Морю* дробилось на гравий, со старшей сестрой Валерией, море знавшей по Крыму, превращалось в татарские туфли — и дачи — и глицинии — в скалу Деву и в скалу Монах, во все что угодно превращалось — кроме самого себя, и от *моего* моря после таких "давай помечтаем" не оставалось ничего, кроме моего тоскливого неузнавания.

Чего же я от них — Аси, Валерии, гувернантки Марии Генриховны, горничной Ариши, тоже ехавшей, — хотела?

Может быть — памятника Пушкина на Тверском бульваре, а под ним — говора волн? Но нет — даже не этого. Ничего зрительного и предметного в моем *К Морю* не было, были шумы — той розовой австралийской раковины, прижатой к уху, и смутные видения — того Байрона и того Наполеона, которых я даже не знала лиц, и, главное, — звуки слов, и — самое главное — тоска: пушкинского призвания и прощания.

И если Ася, кем-то наученная, говорила "камешки,

50

ракушки", если Валерия, крымским опытом наученная, называла глицинии и Симеиз, я, при всем своем желании, не могла сказать — назвать — ничего.

———

Но в самую последнюю минуту пришла подмога: первая и единственная морская достоверность: синяя открытка от Нади Иловайской из того самого Nervi, куда ехали — мы. Вся — синяя: таких сплошных синих мест и открыток я еще не видела и не знала, что они есть.

Черно-синие сосны — светло-синяя луна — черносиние тучи — светло-синий столб от луны — и по бокам этого столба — такой уж черной синевы, что ничего не видно — море. Маленькое, огромное, совсем черное, совсем невидное — море. А с краю, на тучах, которыми другой от нас умчался гений, немножко задевая око луны — лиловым чернилом, кудрявыми, как собственные волосы, буквами: "Приезжайте скорее. Здесь чудесно".

Этой открыткой я завладела. Эту открытку я у Валерии сразу украла. Украла и зарыла на дне своей черной парты, немножко как девушки дитя любви бросают в колодец — со всей любовью! Эту открытку я, держа лбом крышку парты, постоянно молниеносно глядела, прямо жгла и жрала ее глазами. С этой открыткой я жила — как та же девушка с любимым — тайно, опасно, запретно, блаженно.

На дне черного гроба и грота парты у меня лежало сокровище. На дне черного гроба и грота парты у меня лежало — море. Мое море, совсем черное от черноты парты — и дела. Ибо украла я его — чтобы не видели другие, чтобы другие, видевшие — забыли. Чтобы я одна. Чтобы — мое.

Так, с глубоко- и жарко-розовой австралийской раковины у уха, с сине-черной открыткой у глаз я коротала этот самый длинный, самый пустынный, самый полный месяц моей жизни, мой великий канун, за которым никогда не наступил — день.

———

— Ася! Муся! Глядите! Море!

— Где? Где?

— Да — *вот*!

Вот — частый лысый лес, весь из палок и веревок, и где-то внизу — плоская серая, белая вода, водица, которой так же мало, как той на картине явления Христа народу.

Это — море? И, переглянувшись с Асей, откровенно и презрительно фыркаем.

Но — мать объяснила, и мы поверили: это Генуэзский залив, а когда Генуэзский залив — всегда так. *То* море — завтра.

Но завтра и много, много завтр опять не оказалось моря, оказался отвес генуэзской гостиницы в ущелье узкой улицы, с такой темноты домами, что море, если и было бы — отступило бы. Прогулки с отцом в порт были не в счет. На то "море" я и не глядела, я ведь знала, что это — залив.

Словом, я все еще *К Морю* ехала, и чем ближе подъезжала — тем меньше в него верила, а в последний свой генуэзский день и совсем изверилась и даже мало обрадовалась, когда отец, повеселев от чуть подавшейся ртути в градуснике матери, нам — утром: "Ну, дети! Нынче вечером увидите море!" Но море — все отступало, ибо, когда мы наконец после всех этих гостиниц, перронов, вагонов, Модан и Викторов-Эммануилов "нынче вечером" со всеми нашими сундуками и тюками ввалились в нервийский "Pension Russe" — была ночь и страшным глазом горел и мигал никогда не виданный газ, и мать опять горела как в огне, и я бы лучше умерла, чем осмелилась попроситься "к морю".

Но будь моя мать совсем здорова и так же проста со мной, как другие матери с другими девочками, я бы все равно к нему не попросилась.

Море было здесь, и я была здесь, и между нами — ночь, вся чернота ночи и чужой комнаты, и эта чернота неизбежного пройдет — и будут наши оба *здесь*.

Море было здесь, и я была здесь, и между нами — все блаженство оттяжки.

О, как я в эту ночь к морю — ехала! (К кому потом

так — когда?) Но не только я к нему, и оно ко мне в эту ночь — через всю черноту ночи — ехало: ко мне одной — всем собой.

Море было здесь, и завтра я его увижу. *Здесь и завтра*. Такой полноты владения и такого покоя владения я уже не ощутила никогда. Это море было в мою меру.

Море здесь, но я не знаю где, а так как я его не вижу — то оно совсем везде, нет места, где его нет, я просто в нем, как та открытка в черном гробу парты.

Это был самый великий канун моей жизни.

Море — здесь, и его — нет.

———

Утром, по дороге к морю, Валерия:

— Чувствуешь, как пахнет? Отсюда — пахнет!

Еще бы не почувствовать! Отсюда пахнет, и повсюду пахнет, но... в том-то и дело, что *не́* узнаю: свободная стихия так *не* пахла, и синяя открытка так *не́* пахла.

Настораживаюсь.

———

Море. Гляжу во все глаза. (Так я, восемнадцать лет спустя, во все глаза впервые глядела на Блока.)

Черная приземистая скала с высоким торчком железной палки.

— Это скала называется лягушка, — торопливо знакомит рыжий хозяйский сын Володя. — Это — *наша* лягушка.

От меня до лягушки — немножко: немножко очень чистой, очень светлой воды: на дне камешки и стеклышки (Асины).

— А это — грот, — поясняет Володя, глядя себе под ноги, — тоже наш грот, здесь все наше, — хочешь, полезем! Только ты провалишься!

Лезу и проваливаюсь, в своих тяжелых русских башмаках, в тяжелом буром, вроде как войлочном, платье сразу падаю в воду (в воду, а не в море), а рыжий Володя меня вытаскивает и выливает воду из башмаков, а потом я рядом с башмаками сижу и в платье сохну — чтобы мать не узнала.

Ася с Володей, сухие и уже презрительные, лезут на "пластину", гладкую шиферную стену скалы, и оттуда из-под сосен швыряют осколки и шишки.

Я сохну и смотрю: теперь я вижу, что за скалой Лягушка — еще вода, много, чем дальше — тем бледней и что кончается она белой блестящей линеечной чертою —того же серебра, что все эти точки на маленьких волнах. Я вся соленая — и башмаки соленые.

Море голубое — и соленое.

И, внезапно повернувшись к нему спиной, пишу обломком скалы на скале:

Прощай, свободная стихия!

Стихи длинные, и начала я высоко, сколько руки достало, но стихи, по опыту знаю, такие длинные, что никакой скалы не хватит, а другой, такой же гладкой, рядом — нет, и все же мельчу и мельчу буквы, тесню и тесню строки, и последние уже бисер, и я знаю, что сейчас придет волна и не даст дописать, и тогда желание не сбудется — какое желание? — ах, *к морю!* — но, значит, уже никакого желания нет? но все равно — даже *без* желания! я должна дописать *до* волны, *все* дописать *до* волны, а волна уже идет, и я как раз еще успеваю подписаться:

Александр Сергеевич Пушкин —

и все смыто, как языком слизано, и опять вся мокрая, и опять гладкий шифер, сейчас уже черный, как *тот* гранит...

———

Моря я с той первой встречи никогда не полюбила, я постепенно, как все, научилась им пользоваться и играть в него: собирать камешки и в нем плескаться — точь-в-точь как юноша, мечтавший о большой любви, постепенно научается пользоваться случаем.

Теперь, тридцать с лишним лет спустя, вижу: мое *к*

морю было — пушкинская грудь, что ехала я в пушкинскую грудь, с Наполеоном, с Байроном, с шумом, и плеском, и говором волн *его души*, и естественно, что я в Средиземном море со скалой лягушкой, а потом и в Черном, а потом в Атлантическом, этой груди — не узнала.

В пушкинскую грудь — в ту синюю открытку, всю синеву мира и моря вобравшую.

(А вернее всего — в ту раковину, шумевшую моим собственным слухом.)

К морю было: море+любовь к нему Пушкина, море+поэт, нет! — поэт+море, две стихии, о которых так незабвенно — Борис Пастернак:

> Стихия свободной стихии
> С свободной стихией стиха,—

опустив или подразумев третью и единственную: лирическую.

Но *К морю* было еще и любовь *моря* к Пушкину: море — друг, море — зовущее и ждущее, море, которое боится, что Пушкин — забудет, и которому, как живому, Пушкин обещает, и вновь обещает. Море — взаимное, тот единственный случай взаимности — до краев и через морской край наполненной, а не пустой, как счастливая любовь.

Такое море — мое море — море моего и пушкинского *К морю* могло быть только на листке бумаги — и внутри.

И еще одно: пушкинское море было — море прощания. Так — с морями и людьми — не встречаются. Так — прощаются. Как же я могла, с морем впервые здороваясь, ощутить от него то, что ощущал Пушкин — навсегда с ним прощаясь. Ибо стоял над ним Пушкин тогда в последний раз.

Мое море — пушкинской свободной стихии — было море последнего раза, последнего глаза.

Оттого ли, что я маленьким ребенком столько раз своею рукой писала: "Прощай, свободная стихия!" — или без всякого оттого — я все вещи своей жизни полюбила и пролюбила прощанием, а не встречей, разрывом, а не слиянием, не на жизнь — а на смерть.

И, в совсем уже ином смысле, моя встреча с морем именно оказалась прощанием с ним, двойным прощанием — с морем свободной стихии, которого передо мной не было и которое я, только повернувшись к настоящему морю спиной, восстановила — белым по серому — шифером по шиферу — и прощанием с тем настоящим морем, которое передо мной было и которое я, из-за того первого, уже не могла полюбить.

И — больше скажу: безграмотность моего младенческого отождествления стихии со стихами оказалась — прозрением: "свободная стихия" оказалась стихами, а не морем, стихами, то есть единственной стихией, с которой не прощаются — никогда.

1937

ПУШКИН И ПУГАЧЕВ

I

Есть магические слова, магические вне смысла, одним уже звучанием своим — физически магические — слова, которые, до того как *сказали* — уже значат, слова — самознаки и самосмыслы, не нуждающиеся в разуме, а только в слухе, слова звериного, детского, сновиденного языка.

Возможно, что они в жизни у каждого — свои.

Таким словом в моей жизни было и осталось — Вожатый.

Если бы меня, семилетнюю, среди седьмого сна, спросили: "Как называется та вещь, где Савельич, и поручик Гринев, и царица Екатерина Вторая?" — я бы сразу ответила: "Вожатый". И сейчас вся "Капитанская дочка" для меня есть *то* и называется — *так*.

Странно, что я в детстве, да и в жизни, такая несообразительная, недогадливая, которую так легко можно было обмануть, здесь сразу догадалась, как только *среди мутного кручения метели* что-то зачернелось — сразу насторожилась, зная, зная, зная, что не "пень иль волк", а то самое.

И когда незнакомый предмет стал к нам подвигаться и через две минуты стал человеком — я уже знала, что это не "добрый человек", как назвал его ямщик, а лихой человек, страх-человек, *тот* человек.

Незнакомый предмет был — весьма знакомый предмет.

Вожатого я ждала всю жизнь, всю свою огромную семилетнюю жизнь,

Это было то, что ждет нас на каждом повороте дороги и коридора, из-за каждого куста леса и каждого угла улицы — чудо — в которое ребенок и поэт попадают как домой, то единственное домой, нам данное и за которое мы отдаем — все родные дома!

И когда знаемый из всех русских и нерусских сказок и самой Märchen unseres Lebens und Wesens[1] незнакомый предмет вдобавок еще оказался Вожа-тым, дело было сделано: душа была взята: отдана.

О, я сразу в Вожатого влюбилась, с той минуты сна, когда самозванный отец, то есть чернобородый мужик, оказавшийся на постели вместо гриневского отца, поглядел на меня веселыми глазами. И когда мужик, выхватив топор, стал махать им вправо и влево, я знала, что я, то есть Гринев, уцелеем, и если боялась, то именно как во сне, услаждаясь безнаказанностью страха, возможностью весь страх, безнаказанно, до самого дна, пройти. (Так во сне нарочно замедляешь шаг, дразня убийцу, зная, что в последнюю секунду — полетишь.) И когда страшный мужик ласково стал меня кликать, говоря: "Не бойся! Подойди под мое благословение!" — я уже под этим благословением — стояла, из всех своих немалых детских сил под него Гринева — толкала: "Да иди же, иди, иди! Люби! Люби!" — и готова была горько плакать, что Гринев не понимает (Гринев вообще не из понимающих) — что мужик его любит, всех рубит, а его любит, как если бы волк вдруг стал сам давать тебе лапу, а ты бы этой лапы — *не* принял.

А Вожатого — поговорки! Круглая, как горох, самотканая окольная речь наливного яблочка по сереб-

---

[1] Сказки нашей жизни и бытия *(нем.)*.

ряному блюдечку — только покрупнее! Поговорки, в которых я ничего не понимала и понять не пыталась, кроме того, что он говорит — о другом: самом важном. Это была первая в моей жизни иносказательная речь (и последняя, мне сужденная!) — *о том самом* — другими словами, этими словами — о другом, та речь, о которой я, двадцать лет спустя:

> Поэт — издалека заводит речь.
> Поэта — далеко заводит речь...—

как далеко завела — Вожатого.

Нужно сказать, что даже при втором, третьем, сотом чтении, когда я уже наизусть знала все, что будет — и как все будет, я неизменно непрерывно разрывалась от страха, что вдруг Гринев — Вожатому — вместо чая водки *не* даст, заячьего тулупа *не* даст, послушает дурака Савельича, а не себя, не меня. И, Боже, какое облегчение, когда тулуп наконец вот уже который раз треснул на вожатовых плечах!

(Есть книги настолько живые, что все боишься, что, пока не читал, она уже изменилась, как река — сменилась, пока жил — тоже жила, как река — шла и ушла. Никто дважды не вступал в ту же реку. А вступал ли кто дважды в ту же книгу?)

...Потом, как известно, Вожатый пропадает — так подземная река уходит под землю. А с ним пропадал и мой интерес. Читала я честно, ни строки не пропуская, но глазами читала, на мысленный глаз прикидывая, сколько мне еще осталось печатных верст пройти — *без* Вожатого (как — в том же детстве, на больших прогулках — *без воды*) — в совершенно для меня ненужном обществе коменданта, Василисы Егоровны, Швабрина и не только не нужном, а презренном — Марьи Ивановны, той самой дуры Маши, которая падает в обморок, когда палят из пушки, и о которой только и слышишь, что она "чрезвычайно бледна".

Странно, что даже дуэль меня не мирила с отсутствием Вожатого, что даже любовное объяснение Гринева с Машей ни на секунду не затмевало во мне черной бороды и черных глаз. В *их* любви я *не* участвовала, вся моя любовь была — к тому, и весь их роман сводился к моему негодованию: "Как может Гринев любить Марью Ивановну, а Марья Ивановна — Гринева, когда есть — Пугачев?"

И суровое письмо отца Гринева, запрещающее сыну жениться, не только меня не огорчало, но радовало: "Вот теперь уедет от нее и опять по дороге встретит — Вожатого и уж никогда с ним не расстанется и (хотя я *знала* продолжение и конец) умрет с ним на лобном месте. А Маша выйдет за Швабрина — и так ей и надо".

В моей "Капитанской дочке" не было капитанской дочки, до того не было, что и сейчас я произношу это название механически, как бы в одно слово, без всякого капитана и без всякой дочки. Говорю: "Капитанская дочка", а думаю: "Пугачев".

Вся "Капитанская дочка" для меня сводилась и сводится к очным встречам Гринева с Пугачевым: в метель с Вожатым (потом пропадающим) — во сне с мужиком — с Самозванцем на крыльце комендантского дома — но тут — остановка:

"Меня снова привели к самозванцу и поставили перед ним на колени. Пугачев протянул мне жилистую свою руку".

Подсказывала ли я и тут (как в том страшном сне) Гриневу поцеловать Пугачеву руку?

К чести своей скажу — нет. Ибо Пугачев, я это понимала, в ту минуту был — власть, нет, больше — насилие, нет, больше — жизнь и смерть, и *так* поцеловать руку я при всей своей любви не смогла бы. Из-за всей своей любви. Именно любовь в нем приказывала мне ему в его силе и славе и зверстве руки *не* целовать — оставить поцелуй для другой площади. Кроме того: раз все вокруг шепчут: "Целуй руку! целуй руку!" — ясно, что я руки целовать *не* должна. Я такому круговому шепоту отродясь цену знала. Так что и Иван Кузьмич, и Иван Игнатьевич, и все мы, не присягнувшие и некоторые повисшие, оказались — правы.

Но — негодовала ли я на Пугачева, ненавидела ли я его за их казни? Нет. Нет, потому что он *должен* был их казнить — потому что он был волк и вор. Нет, потому что он их казнил, а Гринева, не поцеловавшего руки, помиловал, а помиловал — за заячий тулуп. То есть — долг платежом красен. Благодарность. Благодарность злодея. (Что Пугачев — злодей, я не сомневалась ни секунды и знала уже, когда он был еще только незнакомый черный предмет.) Об этом, а не ином, сказано в Евангелии: в небе будет больше радости об одном раскаявшемся грешнике, нежели о десяти несогрешивших праведниках. Одно из самых соблазнительных, самых роковых для добра слов из Христовых уст.

Но есть еще одно. Пришедши к Пугачеву непосредственно из сказок Гримма, Полевого, Перро, я, как всякий ребенок, к зверствам — привыкла. Разве дети ненавидят Людоеда за то, что хотел отсечь мальчикам головы? Нет, они его только боятся. Разве дети ненавидят Верлиоку? Змея-Горыныча? Бабу-Ягу с ее живым тыном из мертвых голов? Все это — чистая стихия страха, без которой сказка не сказка и услада не услада. Для ребенка, в сказке, должно быть зло. Таким необходимым сказочным злом и являются в детстве (и в недетстве) злодейства Пугачева.

Ненавидит ребенок только измену, предательство, нарушенное обещание, разбитый договор. Ибо ребенок, как никто, верен слову и верит в слово. Обещал, а не сделал, целовал, а предал. За что же мне было ненавидеть моего Вожатого? Пугачев никому не обещал быть хорошим, наоборот — не обещав, обратное обещав, хорошим — оказался. Это была моя первая встреча со злом, и оно оказалось — добром. После этого оно у меня всегда было на подозрении добра.

Вожатый во мне рифмовал с жар. Пугачев — с черт и еще с чумаками, про которых я одновременно читала в сказках Полевого. Чумаки оказались бесами, их червонцы — горящими угольями, прожегшими свитку и, кажется, сжегшими и хату. Но зато у другого мужика, хорошего, в чугуне вместо кострового жару оказались червонцы. Все это — костровый жар, червонцы, кумач, чумак, сливалось в одно грозное слово: Пугач, в одно томное видение: Вожатый.

Но прежде чем перейти к последующим встречам Гринева с Пугачевым, — я в Пугачеве на крыльце комендантского дома с первого чтения Вожатого — узнала. Как мог не узнать его Гринев? И если действительно не узнал, как мне было не отнестись к нему с высокомерием? Как можно было — после того сна — те черные веселые глаза — забыть?

"Необыкновенная картина мне представилась: за столом, накрытым скатертью и установленным штофами и стаканами, Пугачев и человек десять казацких старшин сидели, в шапках и цветных рубашках, разгоряченные вином, с красными рожами и блистающими глазами. Между ними не было ни Швабрина, ни нашего урядника, новобранных изменников".

Значит — были только свои, и в круг *своих* позвал Пугачев Гринева, *своим* его почувствовал. Желание заполучить в свои ряды? Расчет? Нет. Перебежчиков у него и так много было, и были среди них и поценнее ничем не замечательного дворянского сына Гринева. Значит — что? Влечение сердца. Черный, полюбивший беленького. Волк, — нет ли такой сказки? — полюбивший ягненка. Этот полюбил ягненка — несъеденного, может быть, и за то, что его *не* съел, как мы, злодеи и не-злодеи, часто привязываемся за наше собственное добро человеку. Благодарность за заячий тулуп уже была исчерпана — дарованием жизни. Это приглашение за стол уже было чистое влечение сердца, любовь во всей ее чистоте. Пугачев Гринева в свои ряды звал, потому что тот ему по сердцу пришелся, чтобы ввек не расставаться, чтобы ("фельдмаршалом тебя поставлю") еще раз одарить: сначала — жизнь, потом — власть. И нетерпеливая, нестерпимая прямота его вопросов Гриневу, и мрачное ожидание гриневского ответа (Пугачев мрачно молчал) вызваны не сомнением в содержании этого ответа, а именно его несомненностью: безнадежностью. Пугачев знал, что Гринев, под страхом смерти не поцеловавший ему руки, ему служить — *не* может. Знал еще, что если бы *мог*, он, Пугачев, его, Гринева, так бы не любил. Что именно за эту невозможность его так и любит. Здесь во

всей полноте звучит бессмертное анненское слово: "Но люблю я одно — невозможно". (Мало у Пугачева было добрых молодцев, парней — ничуть не хуже Гринева. Нет, ему нужен был именно этот — чужой. Мечтанный. Невозможный. *Неможный*.) Вся эта сцена — только последняя проверка — для последней очистки души — от надежды.

Будем внимательны к самому концу этого бессмертного диалога:

"— Послужи мне верой и правдой, и я тебя пожалую и в фельдмаршалы и в Потемкины (князья). Как ты думаешь?

— Нет, — отвечал я с твердостью. — Я природный дворянин; я присягал государыне императрице: тебе служить не могу. Коли ты в самом деле желаешь мне добра — так отпусти меня в Оренбург".

Значит — Гринев поверил. В полное бескорыстие Пугачева, в чистоту его сердечного влечения.

Пугачев задумался.

"— А коли отпущу, — сказал он, — так обещаешься ли, по крайней мере, против меня не служить?"

Этот вопрос — его последняя ставка, последний сдаваемый им фронт (сдал — всё).

"— Как могу тебе в этом обещаться? — отвечал я. — Сам знаешь, не моя воля: велят идти против тебя — пойду, делать нечего..."

Что в этом ответе? Долг. Неволя, а не воля.

Эта сцена — поединок великодуший, соревнование в величии.

Очная ставка, внутри Пугачева, самовластья с собственным влечением сердца.

Очная ставка, внутри Гринева, влечения человеческого с долгом воинским.

Очная ставка Долга — и Бунта, Присяги — и Разбоя, и — гениальный контраст: в Пугачеве, разбойнике, одолевает человек, в Гриневе, ребенке, одолевает воин.

Пугачев съел обиду, пересилив все, Гринева понял, и не только на волю, но изнутри своей волчьей любви — отпустил:

"— Ступай себе на все четыре стороны и делай, что хочешь".

(Читай: что *должен.*)

Но — все уже отдав, последним оборотом любви:

"— Завтра приходи со мной проститься".

Так любящие:

— В последний раз!

Все бессмертные диалоги Достоевского я отдам за простодушный незнаменитый гимназический хрестоматический диалог Пугачева с Гриневым, весь (как весь Пугачев и весь Пушкин), идущий под эпиграфом:

> Есть упоение в бою
> И бездны мрачной на краю...

В "Пире во время чумы" Пушкин нам это — сказал, в "Капитанской дочке" Пушкин нам это — *сделал.*

Гринев Пугачеву нужен ни для чего: для души. Так цыгане любят белых детей. Так русский царь любил арапа Ибрагима. Так Николай I *не* полюбил Пушкина.

Есть в этом диалоге жутко-автобиографический элемент:

Пугачев — Гриневу:

— А коли отпущу, так обещаешься ли ты, по крайней мере, против меня не служить?

— Как могу тебе в этом обещаться?

Николай I — Пушкину:

— Где бы ты был 14-го декабря, если бы был в городе?

— На Сенатской площади, Ваше Величество!

Та же интонация страстной и опасной правды: хождения бездны на краю. В ответах Гринева мы непрерывно слышим эту интонацию, если не всегда в кабинете монарха звучавшую, то всегда звучавшую — внутри Пушкина и уже, во всяком случае, — на полях его тетрадей.

Только Гриневу было тяжелее сказать и сделать, от Пугачева — отказаться. Гринев Пугачеву был благодарен — и было чем. Ответ Гринева — долг: отказ от любимого.

Пушкин Николаю ничем не был обязан, и Пушкин в Николае ничем не был очарован: не было — чем. Ответ Пушкина Николаю — чистейший восторг: отместка нелюбимому.

И продолжая параллель:

Самозванец — врага — за правду — отпустил.
Самодержец — поэта — за правду — приковал.

———

Пугачев Гриневу с первой минуты благодетель. Ибо если Пугачев в благодарность за заячий тулуп дарует ему жизнь и отпускает на волю, то сам-то гриневский тулуп — благодарность Пугачеву за то, что на дорогу вывел. Пугачев первый сделал Гриневу добро.

Вся встреча Гринева с Пугачевым между этими двумя жестами: сначала на дорогу вывел, а потом и на все четыре стороны отпустил.

— Вожатый!

———

Но помимо благодарности Гринева — Пугачеву, помимо пугачевской благодарности и благородства, Пугачев к Гриневу одержим отцовской любовью: любовью к невозможному для него сыну: верному долгу и роду — "беленькому". (Недаром, недаром тот первый вещий сон Гринева о подменном отце, сон, разом дающий и пугачевскую мечту об отцовстве всея России, и пугачевскую мечту о Гриневе — сыне.)

Любовь Пугачева к Гриневу — отблеск далекой любви Саула к Давиду, тоже при наличии кровного сына, любовь к сыну по избранию, сыну — души моей... Ибо после дарования жизни уже дары: простые, несчетные дары любви. Пугачев на дары Гриневу ненасытен: и фельдмаршалом тебя поставлю, и в Потемкины (князья) произведу, и посаженым отцом сяду, и овчинный тулуп со своего плеча — взамен того заячьего, — и коня — и потерянную тем урядником полтину в дорогу дарит, и в дорожную кибитку с собой сажает, и даже дядьке Савельичу позволяет сесть на облучок (за что, скажем в скобках, тот желает ему сто лет здравствовать и обещает век за него Бога молить...) — и Марью Ивановну из темницы выручает, простив Гриневу его невинный любовный обман... Но здесь — остановка.

Когда уличенный во лжи Гринев признается, что Марья Ивановна не племянница попа, а дочь убитого Пугачевым коменданта: "Ты мне этого не сказал, — заметил Пугачев, у коего лицо омрачилось". Почему (омрачилось)? Да не потому, конечно, что Марья Ивановна дочь того, а не племянница другого, а потому, что Гринев ему солгал, себя, в его глазах, ложью уронил, и — главное, может быть — ему, Пугачеву, не доверился. Но и это сходит — как сходило все, и что не сошло бы! — и Пугачев просится к Гриневу в посаженые отцы. И — возобновляя перечень даров — рука дающего да не скудеет: просится к Гриневу в посаженые отцы, и выдает ему пропуск во все заставы и крепости, ему подвластные, и, простившись с ним на людях, еще раз высовывается к нему из кибитки: "Прощай, Ваше благородие!" И — последний дар любви на последней странице повести —

"Из семейных преданий известно, что он присутствовал при казни Пугачева, который узнал его в толпе и кивнул ему головою, которая через минуту, мертвая и окровавленная, показана была народу".

Больше ему подарить Гриневу было — нечего.

———

Что это все? Как все это называется? Любовь. Но, слава Богу, на этот раз любовь была не к недостойному. Ибо и дворянский сын Гринев Пугачева — любил. Любил — сначала дворянской благодарностью, чувством не менее сильным в дворянине, чем дворянская честь. Любил сначала благодаря, а потом уже вопреки: всей обратностью своего рождения, воспитания, среды, судьбы, дороги, планиды, сути. С первой минуты сна, когда страшный мужик, нарубив полную избу тел, ласково стал его кликать: "Не бойся, подойди под мое благословение", — сквозь все злодейства и самочинства, сквозь всё и несмотря на всё — любил.

Между Пугачевым и Гриневым — любовный заговор. Пугачев, на людях, постоянно Гриневу подмигивает: ты, мол, знаешь. И я, мол, знаю. Мы оба знаем. Что? В мире вещественном бедное слово: тулуп, в мире существенном — другое бедное слово: любовь.

Вот его, Гринева, собственные, Пугачеву, слова на прощание: "Слушай, — продолжал я, видя его доброе расположение. — Как тебя назвать, не знаю, да и знать не хочу... Но Бог видит, что жизнию моей рад бы заплатить тебе за то, что ты для меня сделал. Ты мой благодетель. Доверши как начал: отпусти меня с бедной сиротой, куда нам Бог путь укажет. А мы, где бы ты ни был и что бы с тобой ни случилось, каждый день будем Бога молить о спасении грешной твоей души..."

Это — еще, пока, благодарность.

Но вот другое, Гринева, высказывание:

"Не могу изъяснить то, что я чувствовал, расставаясь с этим ужасным человеком, извергом, злодеем для всех, кроме одного меня. Зачем не сказать истины? В эту минуту — сильное сочувствие влекло меня к нему. Я пламенно желал вырвать его из среды злодеев, которыми он предводительствовал, и спасти ему голову, пока еще было время. Швабрин и народ, толпящийся около нас, помешали мне высказать все, чем исполнено было мое сердце".

Благодарность? Нет. Так благодарность — *не* жжет.

И — третье:

"Но между тем странное чувство отравляло мою радость: мысль о злодее, обрызганном кровию стольких невинных жертв, и о казни, его ожидающей, тревожила меня поневоле: "Емеля! Емеля! — думал я с досадою, — зачем не наткнулся ты на штык или не подвернулся на картечь? Лучшего ничего не мог бы ты придумать".

И слова Гринева о капитанской дочке Маше: "Чудные обстоятельства соединили нас неразрывно, ничто не может нас разлучить" — куда более относятся к Пугачеву, отца этой капитанской дочки, на его, Гринева, глазах, вздернувшему на виселицу.

Но не только те чудные обстоятельства, не только благодарность, не только влечение к своему обратному — все это еще не дает и не создает любви.

Есть одно слово, которое Пушкин за всю повесть ни разу не назвал и которое *одно* объясняет — все.

Чара.

Пушкин Пугачевым зачарован. Ибо, конечно, Пушкин, а не Гринев за тем застольным пиром был охвачен "пиитическим ужасом".

Да и пиитом-то Пушкин Гринева, вопреки всякой вероятности, сделал, чтобы теснее отождествить себя с ним. Не забудем: Гринев-то и в Оренбург попал за то и потому, что до семнадцатого годочку только и делал, что голубей гонял. Не забудем еще, что в доме его отца кроме "Придворного календаря" никаких книг не было. Пушкин, правда, упоминает, что Гринев стал брать у Швабрина французские книги, но от чтения французских книг до писания собственных русских стихов — далеко. Малый, которого мы видим в начале повести, n'a pas la tête à ça[1].

С явлением на сцену Пугачева на наших глазах совершается превращение Гринева в Пушкина: вытеснение образа дворянского недоросля образом самого Пушкина. Митрофан на наших глазах превращается в Пушкина. Но помимо разницы сущности не забудем *возраст* Гринева: разве может так судить и действовать шестнадцатилетний, впервые ступивший из дому и еще вчера лизавший пенки рядовой дворянский недоросль? Так (как шестнадцатилетний Гринев в этой повести) навряд ли бы мог судить и действовать шестнадцатилетний Пушкин. Ибо есть вещь, которая и гению не дается отродясь (и, может быть, гению — меньше всего) — опыт. Шестнадцатилетний Гринев судит и действует, как тридцатишестилетний Пушкин. Дав вначале тип, Пушкин в молниеносной постепенности дает нам личность, исключение, *себя*. Можно без всякого преувеличения сказать: Пушкин начал с Митрофана и кончил — собою. Он так занят Пугачевым и собой, что

_____
[1] Ему не до этого (*фр.*).

даже забывает post-factum постарить Гринева, и получается, что Гринев на два года моложе своей Маши, которой — восемнадцать лет! Между Гриневым — дома и Гриневым — на военном совете — три месяца времени, а на самом деле, по крайней мере, десять лет роста. Объяснить этот рост появлением в жизни Гринева этой самой Маши — наивность: любовь мужей обращает в детей, но никак уж не детей в мужей. Пушкинскому Гриневу еще до полного физического роста четыре года расти и вырастать из своих мундиров! Пушкин забыл, что Гринев — ребенок. Пушкин вообще забыл Гринева, помня только одно: Пугачева и свою к нему любовь.

Есть этому преображению Гринева в Пушкина любопытное подтверждение. В первом французском переводе "Капитанской дочки" к фразе старика Гринева: "Не казнь страшна; пращур мой умер на лобном месте, отстаивая то, что почитал святынею совести", — переводчиком Луи Виардо сделана пометка: "Un aïeul de Pouchkine fut condamné à mort par Pierre le Grand"[1].

Не *я* здесь создает автобиографичность, а сущность этого я. Не думал Пушкин, начиная повесть с условного, заемного я, что скоро это я станет действительно я, им, плотью его и кровью.

И, поняв, что Гринев — Пушкин: как Пушкину было не зачароваться Пугачевым, ему, сказавшему и возгласившему:

> Есть упоение в бою
> И бездны мрачной на краю,
> И в разъяренном океане,
> Средь грозных волн и бурной тьмы,
> И в аравийском урагане,
> И в дуновении Чумы!

Есть явление, все эти явления дающее разом. Оно называется — мятеж, в котором насчитываем еще и

---

[1] Предок Пушкина был приговорен к смерти Петром Великим (*фр.*).

метель, и ледоход, и землетрясение, и пожар, и сколько еще, *не* перечисленного Пушкиным! и заключенное им в двоекратном:

> *Все, все*, что гибелью грозит,
> Для сердца смертного таит
> Неизъяснимы наслажденья —
> Бессмертья, может быть, залог!
> И счастлив тот, кто средь волненья
> Их обретать и ведать мог.

Этого счастья Пушкину не было дано. Декабрьский бунт бледнеет перед заревом Пугачева. Сенатская площадь — *порядок* и во имя порядка, тогда как Пушкин говорит о гибели ради гибели и *ее* блаженстве.

Встреча Гринева с Пугачевым — в метель, за столом, под виселицей, на лобном месте — мечтанная встреча самого Пушкина с Самозванцем.

Только — вопрос: устоял ли бы Пушкин, тем дворянским сыном будучи, как устоял дворянский сын Гринев, Пушкиным будучи, перед чарой Пугачева? Не сорвалось ли бы с его уст: "Да, Государь. Твой, Государь". Ибо за дворянским сыном Гриневым — сплошной стеной — дворянские отцы Гриневы, за Пушкиным — та бездна, которой всякий поэт — на краю.

Пушкину на долю досталось три монарха: на младенчество — безумный Павел, на юность — двоеверный Александр, Пушкину на зрелый возраст достался царь — капрал. Пушкин всем отвращением от Николая I был отброшен к Пугачеву. "Капитанская дочка" Николаю месть и даже отместка: самой природы поэта. Из всей истории писать именно историю Пугачевского бунта. Николай I не оценил иронии... судьбы.

Вернемся — к чаре.

Эту чару я, шестнадцатилетний ребенок, наравне с шестнадцатилетним Гриневым, наравне с тридцатишестилетним Пушкиным — здесь уместно сказать: любви все возрасты покорны — сразу почувствовала, под нее целиком подпала, впала в нее, как в столбняк.

От Пугачева на Пушкина — следовательно и на Гринева — следовательно и на меня — шла могучая чара, словно перекликающаяся с бессмертным словом его бессмертной поэмы: "Могучей страстью очарован..."

Полюбить того, кто на твоих глазах убил отца, а затем и мать твоей любимой, оставляя ее круглой сиротой и этим предоставляя первому встречному, такого любить — никакая благодарность не заставит. А чара — и не то заставит, заставит и полюбить того, кто на твоих глазах зарубил самое любимую девушку. Чара, как древле богинин облак любимца от глаз врагов, скроет от тебя все злодейство врага, все его вражество, оставляя только одно: твою к нему любовь.

В "Капитанской дочке" Пушкин под чару Пугачева подпал и до последней строки из-под нее не вышел.

Чара дана уже в первой встрече, *до* первой встречи, когда мы еще не знаем, что на дороге чернеется: "пень иль волк". Чара дана и пронесена сквозь все встречи, — с Вожатым, с Самозванцем на крыльце, с Самозванцем пирующим, — с Пугачевым, сказывающим сказку — с Пугачевым карающим — с Пугачевым прощающим — с Пугачевым в последний раз — кивающим — с первого взгляда до последнего, с плахи, кивка — Гринев из-под чары не вышел, Пушкин из-под чары не вышел.

И главное (она дана) в его *магической* внешности, в которую сразу влюбился Пушкин.

Чара — в его черных глазах и черной бороде, чара в его усмешке, чара — в его опасной ласковости, чара — в его напускной важности...

— и умилительная деталь:

Пушкин Пугачева часто дает... немножко смешным: например, Пугачев, не умеющий разобрать писаной руки.

"Пугачев принял бумагу и долго рассматривал с видом значительным. "Что ты так мудрено пишешь? — сказал он наконец. — Наши светлые очи ничего не могут тут разобрать. Где мой обер-секретарь?" — смешным, но не смехотворным (так Диккенс в начале повести своего мистера Пиквика) — умилительным, детски-смешным: ребенком, читающим письмо вверх ногами. У Пушкина Пугачев получается какой-то зверский ребенок, в себе — неповинный, во зле — неповинный. Сравнить пушкинское отношение к низкому злодею Швабрину: ни одной человеческой слабости, ни одного смягчающего обстоятельства. Весь злодей из одного — черного — куска, вроде Жавера Виктора Гюго (кроме последнего жеста последнего). Швабрин — злодей по пушкинскому замыслу, пушкинское настоящее обратное, его истый враг, то есть его низкий враг. Пугачев же — злодей по пушкинской любви, враг по пушкинской любви, его вопреки всему и всем, совсем не враг, его невраг, его друг, чуть ли не страсть.

Здесь ясна вся разница для поэта между врагом внешним и врагом внутренним. Швабрин — олицетворенная низость, — его внутренний враг, Пугачев — его враг исторический, фактический, его внешний враг, его вовсе не враг, его друг, которого по долгу службы нужно убить, но нельзя не любить.

> Как аттический солдат,
> В своего врага влюбленный...

Сказано о солдате, но этого далекого солдата (Ахилла) создал — поэт.

Но есть еще одно, кроме чары, физической чары над Пушкиным — Пугачева: страсть всякого поэта к мятежу, к мятежу, олицетворенному одним. К мятежу одной головы с двумя глазами. К одноглавому, двуглазому мятежу. К одному против всех — и без всех. *К преступившему.*

Нет страсти к преступившему — не поэт. (Что эта страсть к преступившему при революционном строе оборачивается у поэта *контр*-революцией — естественно, раз сами мятежники оборачиваются — властью.)

В Пугачеве, как нигде, прорвалась у Пушкина эта страсть, и смешно было Николаю I ждать от такого историографа — добра.

Все, что гибелью грозит,
Для сердца смертного таит
Неизъяснимы наслажденья...

Это неизъяснимое наслажденье смертное, бессмертное, африканское, боярское, человеческое, божественное, бедное, уже обреченное сердце Пушкина обрело за год до того, как перестало биться, в *мечтанной* встрече Гринева с Пугачевым. На самозванце-Емельяне Пушкин отвел душу от самодержца-Николая, не сумевшего его ни обнять, ни отпустить.

Страстный верноподданный, каким бы мог быть Пушкин, живой пищи *не* нашел, и пришлось ему, по сказке того же Пугачева, клевать мертвечину ("Нет, я не льстец, когда царю..."), но — по той же сказке Пугачева — орлом будучи — мертвечина ему не пришлась, и пришлось ему — отказавшись от рецепта ворона — год спустя "Капитанской дочки" и пугачевской сказки — напоить российский снег *своей* кровью.

Соубийцу мы знаем.

———

Пушкину я обязана своей страстью к мятежникам — как бы они ни назывались и ни одевались. Ко всякому предприятию — лишь бы было обречено.

Но и другим я обязана Пушкину — может быть, против его желания. После "Капитанской дочки" я уже никогда не смогла полюбить Екатерину II. Больше скажу: я ее невзлюбила.

Контраст между чернотой Пугачева и ее белизной, его живостью и ее важностью, его веселой добротой и ее снисходительной, его мужичеством и ее дамством не могли не отвратить от нее детского сердца, едино-любивого и уже приверженного "злодею".

Ни доброта ее, ни простота, ни полнота — ничто, ничто не помогло. Мне (в ту секунду Машей будучи) даже противно было сидеть с ней рядом на скамейке.

На огневом фоне Пугачева — пожаров, грабежей, метелей, кибиток, пиров — эта, в чепце и душегрейке, на скамейке, между всяких мостиков и листиков, представлялась мне огромной белой рыбой, белорыбицей. И даже несоленой. (Основная черта Екатерины — удивительная пресность. Ни одного большого, ни одного своего слова после нее не осталось, кроме удачной надписи на памятнике Фальконета, то есть — подписи. — Только *фразы*. Французских писем и посредственных комедий Екатерина II — человек — образец среднего человека.)

Сравним Пугачева и Екатерину въяве:

"— Выходи, красная девица, дарую тебе волю. Я государь". (Пугачев, выводящий Марью Ивановну из темницы.)

"— Извините меня, — сказала она голосом еще более ласковым, — если я вмешиваюсь в ваши дела, но я бываю при дворе..."

Насколько царственнее в своем жесте мужик, именующий себя государем, чем государыня, выдающая себя за приживалку.

И какая иная ласковость! Пугачев в темницу входит — как солнце. Ласковость же Екатерины уже тогда казалась мне сладостью, слащавостью, медовостью, и этот еще более ласковый голос был просто льстив: фальшив. Я в ней *узнала* и возненавидела даму-патронессу.

И как только она в книге начиналась, мне становилось сосуще-скучно, меня от ее белизны, полноты и доброты физически мутило, как от холодных котлет или теплого судака под белым соусом, которого знаю, что съем, но — как? Книга для меня распадалась на две пары, на два брака: Пугачев и Гринев, Екатерина и Марья Ивановна. И лучше бы *так* женились!

Любит ли Пушкин в "Капитанской дочке" Екатерину? Не знаю. Он к ней почтителен. Он знал, что все это: белизна, доброта, полнота — вещи почтенные. Вот и почтил.

Но любви — чары в образе Екатерины — нет. Вся любовь Пушкина ушла на Пугачева (Машу любит Гринев, а не Пушкин) — на Екатерину осталась только казенная почтительность.

Екатерина нужна, чтобы все "хорошо кончилось".

Но для меня и тогда и теперь вещь, вся, кончается — кивком Пугачева с плахи. Дальше уже — дела гриневские.

Дело Гринева — жить дальше с Машей и оставлять в Симбирской губернии счастливое потомство.

Мое дело — вечно смотреть на чернеющий в метели предмет.

———

Есть у Блока магическое слово: *тайный жар*. Слово, при первом чтении ожегшее меня узнаванием: себя до семи лет, всего до семи лет (дальше — не в счет, ибо жарче не стало). Слово — ключ к моей душе — и всей лирике:

> Ты проклянешь в мученьях невозможных
> Всю жизнь за то, что некого любить.
> Но есть ответ в моих стихах тревожных:
> Их *тайный жар* тебе поможет жить.

Поможет жить. Нет! и есть — жить. Тайный жар и есть — жить.

И вот теперь, жизнь спустя, могу сказать: все, в чем был этот тайный жар, я любила, и ничего, в чем не было этого тайного жара, я не полюбила. (Тайный жар был и у капитана Скотта, последним, именно *тайным* жаром гревшего свои полярные дневники.)

Весь Пугачев — это тайный жар. Этого тайного жара в контрфигуре Пугачева — Екатерине — не было. Была — теплота.

Я сказала: контрфигура. Любопытно, что все, решительно все фигуры "Капитанской дочки" — каждая в своем направлении — контрфигуры Пугачева: добрый разбойник Пугачев — низкий злодей Швабрин; Пугачев, восставший на Царицу — комендант, за эту царицу умирающий; дикий волк Пугачев — преданный пес Савельич; огневой Пугачев и белорыбий немецкий генерал, — вплоть до физического контраста физически-очаровывающего нас Пугачева и его страшной оравы (рваные ноздри Хлопуши). Пугачев и Екатерина, наконец. И еще любопытнее, что пугачевская контрфигура покрывает, подавляет, затмевает — всё. Всех обращает в фигурантов.

Рассмотрим всех персонажей "Капитанской дочки". Отец и мать — как им быть полагается (батюшка, матушка...), слуга Савельич — как ему быть полагается, игрок Зурин, мелкий завистник и доносчик Швабрин, заводной немецкий генерал, — комендант Миронов, тип почти комический, если бы не пришлось ему на наших глазах с честью умереть... Маша — пустое место всякой первой любви, Екатерина — пустое место всякой авторской нелюбви...

Ни одной крупной фигуры Пушкин Пугачеву не противопоставил (а мог бы: поручика Державина, чуть не погибшего от пугачевского дротика; Суворова, целую ночь стерегущего пленного Пугачева). В лучшем случае, другие — хорошие люди. Но когда — кого в литературе спасала "хорошесть" и кто когда противостоял чаре силы и силе чары? (Себе в опровержение: однажды спасла и вознесла: отца Савелия, в "Соборянах". Себе же — в подтверждение: но это больше чем литература и больше чем хорошесть, и есть сила, бо́льшая чары — святость.)

В "Капитанской дочке" единственное действующее лицо — Пугачев. Вся вещь оживает при звоне его колокольчика. Мы все глядим во все глаза и слушаем во все уши: ну, что-то будет? И что бы то ни было: есть Пугачев — мы есьмы.

Пушкинский Пугачев, помимо дани поэта — чаре, поэта — врагу, еще дань эпохе: Романтизму. У Гёте — Гётц, у Шиллера — Карл Моор, у Пушкина — Пугачев. Да, да, эта самая классическая, кристальная и, как вы ее еще называете, проза — чистейший романтизм, кристалл романтизма. Только *те* своих героев искали и находили либо в дебрях прошлого, этим бесконечно себе задачу облегчая и отдаленностью времен лишая их последнего правдоподобия, либо (Лермонтов, Байрон) — в недрах лирического хаоса, — либо в себе, либо в нигде, Пушкин же своего героя взял и вне себя, и из предшествующего ему поколения (Пугачев по возрасту

Пушкину — отец), этим бесконечно себе задачу затрудняя. Но зато: и Карл Моор, и Гётц, и Лара, и Мцыри, и собственный пушкинский Алеко — идеи, в лучшем случае — видения, Пугачев — живой человек. Живой мужик. И этот мужик — самый неодолимый из всех романтических героев. Сравнимый только с другим реалистическим героем, праотцем всех романтических: Дон-Кихотом.

Покой повествования и словесная сдержанность целый век продержали взрослого читателя в обмане; потому и семилетним детям давали, что думали — классическое. А классическое оказалось — магическое, и дети поняли, только дети одни и поняли, ибо нет ребенка, в Вожатого не влюбленного.

В "классиков" *не* влюбляются.

———

Ко всей "Капитанской дочке" ретроспективный эпиграф:

> *...Странные есть мужики...*

> Вот он с дорожной котомкой,
> Путь оглашает лесной
> Песнью протяжной, негромкой,
> И озорной, озорной...

> ...В славную нашу столицу
> Входит — Господь упаси! —
> Обворожает царицу
> Необозримой Руси...

Пугачев царицы необозримой Руси не обворожил, а на нее в другую и в славнейшую нашу столицу пошел, в столицу не вошел, — и столицы разные, и царицы разные — но мужик все тот же. И чара та же... И так же поддался сто лет спустя этой чаре — поэт.

Все встречи Гринева с Пугачевым — ряд живых картин, нам в живое мясо и души вожженных. Ряд живых картин, освещенных не магнием, а молнией. Не магнием, а магией. О, до чего эта классическая книга — магическая. До чего — гипнотическая (ибо весь Пугачев нам, вопреки нашему разуму и совести, Пушкиным — внушен: не хотим — а видим, не хотим — а любим) — до чего сонная, сновиденная. Все встречи Гринева с Пугачевым — из все той же области его, сна о губящем и любящем мужике. Сон — продленный и осуществленный. Оттого, может быть, мы так Пугачеву и предаемся, что это — сон, которому нельзя противиться, сон, то есть *мы* в полной неволе и на полной свободе сна. Комендант, Василиса Егоровна, Швабрин, Екатерина — все это белый день, и мы, читая, пребываем в здравом рассудке и твердой памяти. Но только на сцену Пугачев — кончено: черная ночь.

Ни героическому коменданту, ни его любящей Василисе Егоровне, ни гриневскому роману, никому и ничему в нас Пугачева не одолеть. Пушкин на нас Пугачева... навел, как наводят сон, горячку, чару...

На этом слове разбор Пугачева "Капитанской дочки" — кончим.

II

Ибо есть другой Пугачев — Пугачев "Истории Пугачевского бунта". Пугачев "Капитанской дочки" и Пугачев "Истории Пугачевского бунта".

Казалось бы одно — раз одной рукой писаны. Нет, не одной. Пугачева "Капитанской дочки" писал поэт, Пугачева "Истории Пугачевского бунта" — прозаик. Поэтому и не получился один Пугачев.

Как Пугачевым "Капитанской дочки" нельзя не зачароваться — так от Пугачева "Пугачевского бунта" нельзя не отвратиться.

Первый — сплошная благодарность и благородство, на фоне собственных зверств постоянная и непременная победа добра. Весь Пугачев "Капитанской дочки" взят и дан в исключительном для Пугачева случае — добра, в исключительном — любви. Всех-де казню, а тебя милую. Причем это *ты*, по свойству человеческой природы и гениальности авторского внушения, непременно сам читатель. (Всех казнил, а *меня* помиловал, обобрал, а *меня* пожаловал, и т.д.) Пугачев нам — в лице Гринева — все простил. Поэтому мы ему — все прощаем.

Что у нас остается от "Капитанской дочки"? Его — пощада. Казни, грабежи, пожары? Точно Пугачев и черным-то дан только для того, чтобы лучше, чище дать его — белым.

Предположим — да так оно со всеми нами и было, что читатель "Капитанскую дочку" прочел первой. Что он ждет от "Истории Пугачевского бунта"? Такого же Пугачева, еще такого же Пугачева, то есть его доброты, широты, пощады, буйств — и своей любви.

А вот что он с первых страниц повествования и пугачевщины — получает:

"...Между тем за крепостью уже ставили виселицу, перед ней сидел Пугачев, принимая присягу жителей и гарнизона. К нему привели Харлова (коменданта крепости. — *М.Ц.*), обезумленного от ран и истекающего кровью. Глаз, *вышибенный*[1] копьем, висел у него на щеке. Пугачев велел его казнить".

(Велел казнить и Миронова, но у того глаз не висел на щеке. Тошнотворность деталей.)

День спустя Пугачев взял очередную крепость Татищеву с комендантом Елагиным.

"С Елагина, человека тучного, содрали кожу: злодеи вынули из него сало и мазали им свои раны".

(В "Капитанской дочке" ни с кого кожу не сдирали и ничьим салом своих ран не мазали. Ибо Пушкин знал, что читателя от такого мазанья — на его героя — стошнило бы.) Дальше, в строку:

"Жену его изрубили. Дочь их, накануне овдовевшая Харлова, приведена была к победителю, распоряжавшемуся казнию ее родителей. Пугачев поражен был ее

---

[1] Сохраняю пушкинскую орфографию. (*Примеч. М.И. Цветаевой.*)

красотой и взял несчастную к себе в наложницы, пощадив для нее ее семилетнего брата".

Пощада — малая и поступок чисто злодейский, да и злодейство — житейское: завожделел — помиловал, на свою потребу помиловал. И мгновенный рипост: "*Наш* Пугачев так бы не поступил, *наш* Пугачев, влюбившись, отпустил бы на все четыре стороны — руки не коснувшись".

...Именно не полюбив, а завожделев, ибо вдову майора Веловского, которую *не* завожделел, тут же велел удавить.

Но есть этому эпизоду с Харловой (по отцу Елагиной) продолжение — и окончание.

Несколько страниц — не знаю, недель или месяцев спустя происходит следующее:

"Молодая Харлова имела несчастие привязать к себе Самозванца. Он держал ее в своем лагере под Оренбургом. Она одна имела право во всякое время входить в его кибитку; по ее просьбе прислал он в Озерную приказ — похоронить тела им повешенных при взятии крепости. Она встревожила подозрения ревнивых злодеев, и Пугачев, уступив их требованию, предал им свою наложницу. Харлова и семилетний брат ее были расстреляны. Раненые, они сползлись друг с другом и обнялись. Тела их, брошенные в кусты, долго оставались в том же положении".

Все чары в сторону. Мазать свои раны чужим салом, расстреливать семилетнего ребенка, который, истекая кровью, ползет к сестре, — художественное произведение такого не терпит, оно такое извергает. Пушкин, художеством своим, был обречен на *другого* Пугачева.

Таков Пугачев в любви. Об этой Харловой Пушкин, пиша "Капитанскую дочку", помнил, ибо (письмо Марьи Ивановны Гриневу): "Он (Швабрин) обходится со мною очень жестоко и грозится, коли не одумаюсь и не соглашусь, то привезет меня в лагерь к злодею и с Ва-ми-де то же будет, что с Лизаветой Харловой..."

Чтó *то же*, Пушкин в "Капитанской дочке" не уточняет, давая предполагать читателю только начало харловской судьбы. Оживлять те кусты ему здесь слишком невыгодно.

И непосредственно, строка в строку, до эпизода с Харловой:

"Пугачев в начале своего бунта взял к себе в писаря сержанта Кармицкого, простив его под самой виселицей. Кармицкий сделался вскоре его любимцем. Яицкие казаки при взятии Татищевой удавили его и бросили с камнем на шее в воду. Пугачев о нем осведомился. Он пошел, отвечали ему, к своей любушке вниз по Яику. Пугачев, молча, махнул рукой".

Таков Пугачев в дружбе: в человеческой любви.

Судьба этого Кармицкого — потенциальная судьба самого Гринева: вот что с Гриневым бы произошло, если бы он встретился с Пугачевым не на страницах "Капитанской дочки", а на страницах "Истории Пугачевского бунта"[1].

Пугачев здесь встает моральным трусом — Lâche — из-за страха товарищей предающим — им в руки! — любимую женщину, невинного ребенка и любимого друга.

— Позвольте, что-то знакомое: товарищам — любимую... — А!

> А вокруг уж слышен ропот:
> — Нас на бабу променял!
> Всю ночь с бабой провожжался,
> Сам наутро бабой стал.

> ...Мощным взмахом подымает
> Он красавицу-княжну...

Стенька Разин! тот, о котором и которого поет с нашего голосу вся Европа, тот, которым мы, как водою и бедою, залили всю Европу, да и не одну Европу, а и Африку и Америку — ибо нет на земном шаре места,

---

[1] Есть в "Истории Пугачевского бунта" и Гринев, но там он подполковник и с Пугачевым *не* встречается. (*Примеч. М.И. Цветаевой.*)

где бы его сейчас *не* пели или завтра бы не смогли запеть.

Но: Пугачев и Разин — какая разница!

Над Разиным товарищи — смеются, Разина бабой — дразнят, задевая его мужскую атаманову гордость. Пугачеву товарищи — грозят, задевая в нем простой страх за жизнь. И какие разные *жесты*! (Вся разница между поступком и проступком.)

> ...Мощным взмахом подымает
> Он красавицу-княжну...

Разин сам бросает любимую в Волгу, в дар реке — как самое любимое, подняв, значит — обняв; Пугачев свою любимую дает убить своей сволочи, чужими руками убивает: отводит руки. И дает замучить не только ее, но и ее невинного брата, к которому, не сомневаюсь, уже привык, которого уже немножко — усыновил.

В разинском случае — беда, в пугачевском — низость. В разинском случае — слабость воина перед мнением, выливающаяся в *удаль*, в пугачевском — низкое цепляние за жизнь.

К Разину у нас — за его персияночку — жалость, к Пугачеву — за Харлову — содрогание и презрение. Нам в эту минуту жаль, что его четвертовали уже мертвым.

И — народ лучший судия — о Разине с его персияночкой — поют, о Пугачеве с его Харловой — молчат.

Годность или негодность вещи для песни, может быть, единственное непогрешимое мерило ее уровня.

Но есть у Пугачева, кажется, еще подлейший поступок. Он велит тайно удавить одного из своих верных сообщников, Димитрия Лысова, с которым за несколько дней до того в пьяном виде повздорил и который ударил его копьем. "Их помирили товарищи, и Пугачев пил еще с Лысовым за несколько часов до его смерти".

С Харловой — спал — и дал ее расстрелять, с Лысовым — пил — и велел его удавить. Пугачев здесь встает худшим из своих разбойников, хуже разбойника. И только так можно ответить на его гневный возглас, когда предавший его казак хотел скрутить ему назад руки: "Разве я разбойник?"

Иногда его явление из низости злодейства возвышается до диаболического:

"Пугачев бежал по берегу Волги. Тут он встретил астронома Ловица и спросил, что это за человек. Услышав, что Ловиц наблюдает течение светил небесных, он велел его повесить — поближе к звездам".

И — последнее. "Перед судом он оказал неожиданную слабость духа. Принуждены были постепенно приготовить его к услышанию смертного приговора — "crainte qu'il ne mourût de peur sur le champ"[1], — поясняет Екатерина в письме к Вольтеру. Но так как это письмо Екатерины — единственный пушкинский источник, а Екатерина в низости казнимого ею мятежника явно была заинтересована — оставим это сведение под сомнением: может — струсил, может — нет. Но что достоверно можно сказать — это что не поражал своей предсмертной храбростью. На храбреца трусости не наврешь. Даже Екатерина — в письме к Вольтеру.

Но есть еще одна деталь этой казни — тяжелая. Пугачев, будучи раскольником, никогда не ходил в церковь, а в минуту казни — по свидетельству всего народа — глядя на соборы, часто крестился.

Не вынес духовного одиночества, отдал свою старую веру.

После любимой и друга отдал и веру.

———

Будем справедливы: я все-таки выбирала (особенно и выбирать не пришлось) обратные, контрастные места с Пугачевым "Капитанской дочки", Пугачеву "Истории Пугачевского бунта" Пушкин оставил — много. Оставил его иносказательную сказочную речь, оставил неожиданные повороты нрава: например, наведенную на

———

[1] Боясь, чтобы он внезапно не умер от страха *(фр.)*.

жителей пушку оборачивает и разряжает ее — в степь. Физическую смелость оставил:

"Пугачев ехал впереди своего войска. — Берегись, государь, — сказал ему старый казак, — неравно из пушки убьют. — Старый ты человек, — отвечал самозванец. — Разве пушки льются на царей?"

Любовь к нему простого народа — оставил:

"Солдаты кормили его из своих рук и говорили детям, которые теснились около его клетки: помните, дети, что вы видели Пугачева. Старые люди еще рассказывают о его смелых ответах на вопросы проезжающих господ. Во всю дорогу он был весел и спокоен".

И огненный взор, и грозный голос оставил, от которых женщины, разглядывавшие его в клетке, падали без памяти.

И, как ни странно, и человечность оставил: академик Рычков, отец убитого Пугачевым симбирского коменданта, говоря о своем сыне, не мог удержаться от слез. Пугачев, глядя на него, сам заплакал.

Но все то же цепляние за жизнь оставил. Ибо в ответе Пугачева на вопрос Рычкова, как он мог отважиться на такие великие злодеяния: "Виноват перед Богом и государыней и буду стараться заслужить все мои вины", — бессмысленная заведомо безнадежная надежда на помилование, все то же пугачевское цепляние за жизнь.

Пугачев из "Истории Пугачевского бунта" встает зверем, а не героем. Но даже и не природным зверем встает, ибо почти все его зверства — страх за жизнь, — а попустителем зверств, слабым до преступности человеком. (Ведь даже убийство Лысова — не месть за поднятую на него руку, а страх вторичного и уже смертного удара.)

И, чтобы окончательно кончить о нем: покончить с ним в наших сердцах, — одна безобразная сцена, вдвойне безобразная, со всей полнотой подлости в лице обоих персонажей:

Граф Панин, к которому привели пленного Пугачева, за дерзкий — прибауточный — провидческий ответ Пугачева: "Я вороненок, а ворон-то еще летает", —

ударяет Пугачева по лицу в кровь и вырывает у него клок бороды. (NB! Русское "лежачего не бьют".)

Что же делает Пугачев? Встает на колени и просит о помиловании.

———

Теперь — очная ставка дат: "Капитанская дочка" — 1836 год, "История Пугачевского бунта" — 1834 год.

И наш первый изумленный вопрос: как Пушкин *своего* Пугачева написал — *зная*?

Было бы наоборот, то есть будь "Капитанская дочка" написана первой, было бы естественно: Пушкин сначала своего Пугачева вообразил, а потом — узнал. (Как всякий поэт в любви.) Но здесь он сначала узнал, а потом вообразил.

Тот же корень, но другое слово: преобразил.

Пушкинский Пугачев есть рипост поэта на исторического Пугачева, рипост лирика на архив: "Да, знаю, знаю, все как было и как все было, знаю, что Пугачев был низок и малодушен, все знаю, но *этого* своего знания — знать не хочу, этому несвоему, чужому знанию противопоставляю знание — свое. Я лучше знаю. Я лучше знаю:

> Тьмы низких истин нам дороже
> Нас возвышающий обман".

Обман. "По сему, что поэт есть творитель, еще не наследует, что он лживец, ибо поэтическое вымышление бывает по разуму так — как вещь *могла и долженствовала быть*" (Тредьяковский).

Низкими истинами Пушкин был завален. Он все отмел, все забыл, прочистил от них голову как сквозняком, ничего не оставил, кроме черных глаз и зарева. "Историю Пугачевского бунта" он писал для других, "Капитанскую дочку" — для себя.

———

Пушкинский Пугачев есть поэтическая вольность, как сам поэт есть поэтическая вольность, на поэте отыгрывающаяся от навязчивых образов и навязанных образцов.

Но что же Пушкина заставило, только что Пугачева отписавши, к Пугачеву вернуться, взять в герои именно Пугачева, опять Пугачева, того Пугачева, о котором он все знал?

Именно что не все, ибо единственное знание поэта о предмете поэту дается через поэзию, очистительную работу поэзии.

Пушкин своего Пугачева написал — чтобы узнать. Дознаться. Пушкин своего Пугачева написал — чтобы *забыть*.

Простых же ответа — два: во-первых, он с ним, каков бы он ни был, за долгие месяцы работы — сжился. Сжился, но не разделался. (Есть об этом его, по написании, свидетельство.)

Во-вторых, он, поставив последнюю точку, почуял: не то. Не тот Пугачев. То, да не то. А попробуем — то. Это было "по-вашему", давай-ка теперь — по-нашему.

Подсознательное желание Пугачева, историей разоблаченного, поэзией реабилитировать, вернуть его на тот помост, с которого историей, пушкинской же рукою, снят. С нижеморского уровня исторической низости вернуть Пугачева на высокий помост предания.

Пушкин поступил как народ: он правду — исправил, он *правду* о злодее — забыл, ту часть правды, несовместимую с любовью: *малость*.

И, всю правду о нем сохранив, изъяв из всей правды только пугачевскую *малость*, дал нам другого Пугачева, своего Пугачева, народного Пугачева, которого мы *можем* любить: не можем *не* любить.

Какой же Пугачев — настоящий? Тот, что из страха отдал на растерзание любимую женщину и невинного младенца, на потопление — любимого друга, на удавление — вернейшего соратника и сам, в ответ на кровавый удар по лицу, встал на колени?

Или тот, что дважды, трижды, семижды простил Гринева и, узнав в толпе, в последний раз ему кивнул?

Что мы первое видим, когда говорим Пугачев? Глаза и зарево. И — оба без низости. Ибо и глаза, и зарево — явление природы, "есть упоение в бою", а может быть, и сама Чума, но — стихия, не знающая страха.

Что мы первое и последнее чувствуем, когда говорим Пугачев? Его величие. Свою к нему любовь.

Так, силой поэзии, Пушкин самого малодушного из героев сделал образцом великодушия.

В "Капитанской дочке" Пушкин — историограф побит Пушкиным — поэтом, и последнее слово о Пугачеве на навсегда за поэтом.

Пушкин нам Пугачева "Пугачевского бунта" — показал, Пугачева "Капитанской дочки" — внушил. И сколько бы мы ни изучали и ни перечитывали "Историю Пугачевского бунта", как только в метельной мгле "Капитанской дочки" чернеется незнакомый предмет — мы всё забываем, весь наш дурной опыт с Пугачевым и с историей, совершенно как в любви — весь наш дурной опыт с любовью.

Ибо чара — старше опыта. Ибо сказка — старше были. И в жизни земного шара старше, и в жизни человека — старше. Ибо Пугачева мы знали уже и в Мужик-сам-с-Перст, и в Верлиоке, и в людоеде из Мальчика-с-Пальчика рубящем головы собственным дочерям, и в разбойнике, от которого Аленушка прячется за кадушку с маслом, во всех людоедах и разбойниках всех сказок, в сказке крови, нашей древней памяти.

Пушкинский Пугачев ("Капитанской дочки") есть собирательный разбойник, людоед, чумак, бес, "добрый молодец", серый волк *всех* сказок... и снов, но разбойник, людоед, серый волк — кого-то полюбивший, всех загубивший, одного — полюбивший, и этот один, в лице Гринева — мы.

И если мы уже зачарованы Пугачевым из-за того, что он — Пугачев, то есть *живой страх*, то есть смертный страх, наш детский сонный смертный страх, то как же нам не зачароваться им вдвойне и вполне, когда этот страшный — еще и добрый, этот изверг — еще и любит.

В Пугачеве Пушкин дал самое страшное очарование:

зла, на минуту ставшего добром, всю свою самосилу (зла) перекинувшего на добро. Пушкин в своем Пугачеве дал нам неразрешимую загадку: злодеяния — и чистого сердца. Пушкин в Пугачеве дал нам доброго разбойника. И как же нам ему не поддаться, раз мы уже поддались — просто разбойнику?

Дав нам такого Пугачева, чему же поддался сам Пушкин? Высшему, что есть: поэту в себе. Непогрешимому чутью поэта на — пусть не бывшее, но могшее бы быть. Долженствовавшее бы быть. ("По сему, что поэт есть творитель...")

И сильна же вещь — поэзия, раз все знание всего николаевского архива, саморучное, самоочное знание и изыскание не смогли не только убить, но пригасить в поэте его яснозрения.

Больше скажу: чем больше Пушкин Пугачева знал, тем тверже знал — другое, чем яснее видел, тем яснее видел — другое.

Можно сказать, что "Капитанская дочка" в нем писалась одновременно с "Историей Пугачевского бунта", с ним сописалась, из каждой строки последнего вырастая, каждую перерастая, писалась над страницей, над ней — надстраивалась, сама, свободно и законно, как живое опровержение, здесь рукой поэта творящееся: *неправде* фактов — самописалась.

"Тьмы низких истин нам дороже нас возвышающий обман".

Если Пушкин о Наполеоне, своем и всей мировой лирики боге, отвечая досужему резонеру, разубеждавшему его в том, что Наполеон в Яффе прикасался к чумным[1], если Пушкин о Наполеоне мог сказать:

> Тьмы низких истин нам дороже
> Нас возвышающий обман, —

---

[1] Прикасался. (*Примеч. М.И. Цветаевой.*)

то насколько это уместнее звучит о Пугачеве, досто-
верные низкие истины о котором он глазами вычиты-
вал и своей рукой выписывал — ряд месяцев.

О Наполеоне Пушкин это сказал.

С Пугачевым он это сделал.

По окончании "Капитанской дочки" у нас о Пугачеве
не осталось ни одной низкой истины, из всей тьмы низких истин — ни одной.

Чисто.

И эта чистота есть — поэт.

———

Тьмы низких истин...

Нет низких истин и высоких обманов, есть только
низкие обманы и высокие истины.

Еще одно. Истины не ходят *тьмами* (тьма-тьмущая,
Тьму-Таракань, и т.д.). Только — обманы.

———

Вовзращаясь к миру фактов. Оговорка — и важная:
говорят, что сейчас изданы три тома пугачевского архива, из которых Пугачев встает совсем иным, чем в
"Истории Пугачевского бунта", а именно — без всякой
низости, мужичьим царем, и т.д.

Но дело для нас в данном случае не в Пугачеве, а в
Пушкине, иных материалов, кроме дворянских (при-
страстных), не знавшем и этим дворянским — поверив-
шем. Как Пушкин, по имеющимся данным, Пугачева
видел. И сличаю я только пушкинского Пугачева — с
пушкинским.

Если же, паче чаяния, Пугачев на самом деле встает
мечтанным мужичьим царем, великодушным, справед-
ливым, смелым — что ж, значит, Пушкин еще раз прав
и один только и прав. Значит, прав был — унижающим
показаниям в глубине своего существа не поверив.
Только очами им поверив, не душой.

Как ни обернись — прав:

Был Пугачев низкий и малодушный злодей — Пушкин прав, давая его высоким и бесстрашным, ибо тьмы низких истин нам дороже...

Был Пугачев великодушный и бесстрашный мужичий царь — Пушкин опять прав, его таким, а не архивным — дав. (NB! Пушкин архив опроверг не словом, а *делом*.)

Но, повторяю, дело для нас не в Пугачеве, каков он был или не был, а в Пушкине — каков он был.

Был Пушкин — поэтом. И нигде он им не был с такой силой, как в "классической" прозе "Капитанской дочки".

Ванв, 1937

НАТАЛЬЯ ГОНЧАРОВА

(Жизнь и творчество)

> О ты, чего и святотатство
> Коснуться в храме не могло,
> Моя напасть, мое богатство —
> Мое святое ремесло!

Каролина Павлова

УЛИЧКА

Не уличка, а ущелье. На отстояние руки от тела стена: бок горы. Не дома, а горы, старые, старые горы. (Молодых гор нет, пока молода — не гора, гора — так стара.) Горы и норы. В горе и норе живет

Не уличка, а ущелье, а еще лучше — теснина. Настолько не улица, что каждый раз, забыв и ожидая улицы — ведь и имя есть, и номер есть! — проскакиваю и спохватываюсь уже у самой Сены. И — назад — искать. Но уличка уклоняется — уклончивость ущелий! спросите горцев — мечусь, тычусь — она? нет, дом, внезапно раздавшийся двором — с целую площадь, нет, подворотня, из которой дует веками, нет, просто — улица, с витринами, с моторами. Ее нет. Сгинула. Гора сомкнулась, поглощая Гончарову и ее сокровища. Не попасть мне нынче к Гончаровой, а самой пропасть. Правая, левая? С. Жерменская площадь, Сена? Где — что? И относительно какого *что* это *где*?

И вдруг — чудо! — быть не может! может, раз есть! неужели — она? как же не она — оно — теснина — ущелье! Тут же, между двумя домами, как ни в чем не бывало, будто — всегда была.

Вхожу. Вся уличка взята в железо. Справа решетка, слева решетка. Если бы пальцем или палкой — звук не прекращался бы. Клавиатура охраны, скала страха. Что так хранили, от чего так таились те, за? Есть, очевидно, вещи важнее, чем жизнь, и страшнее, чем смерть. (Чужая тайна и честь любимой.)

Уже не ущелье, а тюремный коридор или же зимнее помещение зоологического сада, — только без глаз, тех и тех. Никого за решетками, ничего за решетками, *то* за решетками. Но — в зверинце и тюрьме исключенное, зверинец и тюрьму исключающее — воздух! Из ущелья дует. Кажется, что на конце его живет ветер, бог с надутыми щеками. Ветер — живет, может ли ветер жить, жить — это где-нибудь, а ветер везде, а везде — это быть. Но есть места с вечным ветром, с каким-то водоворотом воздуха, один дом в Москве, например, где бывал Блок и где я бывала по его следам — уже остывшим. Следы остыли, ветер остался. Этот ветер, может быть, в один из своих приходов — одним из своих прохождений — поднял он и навеки приковал к месту. Место, где вещь — всегда, и есть местопребывание — какое чудесное, кстати, слово, сразу дающее и бытность и длительность, положение в пространстве и протяжение во времени, какое пространное, какое протяжное слово. Так Россия, например, местопребывание тоски, о которой так же дико, как о ветре, сказать: живет. А — живет! И ветер живет. На конце той улички, чтобы лучше дуть в лицо — тем, у ее начала.

Всякий ветер морской, и всякий город, хотя бы самый континентальный, в часы ветра — приморский. "Пахнет морем", нет, но: дует морем, запах мы прикладываем. И пустынный — морской, и степной — морской. Ибо за каждой степью и за каждой пустыней — море, за-пустыня, за-степь. — Ибо море здесь как единица меры (безмерности).

Каждая уличка, где дует, портовая. Ветер море носит

с собой, превносит. Ветер без моря больше море, чем море без ветра. Ветер в моей уличке особый, в две струи. (Зрительно: из арапских губ толстощекого бога расходится в два жгута.) Морской, как всякий, и старый, как только он. Есть молодые ветра, есть — молодеющие с каждым мигом — всего, что по пути! (Младенческие ветра, московские!) Ветер не только вносит, он и вбирает, то есть теряет — изначальную пустоту. С ветром ведь так: вею первым, но пахну последним. Ветер символ бесформенности — на мой взгляд сама форма движения. Содержание — путь. Этот стар, — летел ко мне четыреста лет, поднятый плащом того из итальянцев засилья, в честь которого уличка, а может быть только его слуги. (На расстоянии — скрадывается.) Стар, а по выходе из моего ущелья будет еще старее, очень уже стары дома.

Перед одним из таких — стою. Я его тоже никогда не узнаю, хотя незабвенен. А незабвенны на этой уличке — все. Если современные неотличимы из-за общности, старые — из-за особости. Какая примета моего? Особый. Все — особые. Общность особости, *особь* особости. Так, просмотрев подряд сто диковинных растений, так же не отличишь, соединишь их в памяти в одно, как сто растений однородных, наделяя это одно особенностями всех. Так и с домом. И даже номер не помогает — даже 13! — ибо на всю уличку один фонарь, *не* против моего. Дом не-против фонаря, единственная примета.

В первый мой приход перед одним из домов стоял мотор, и я с самовнушением безысходности поверила, что раз стоит, то именно перед моим, приказала дому быть моим. (Так и оказалось.) Но сегодня мотора нет. Что сегодня — есть?

Близорукость? Беспамятность? Пусть, но главное: представление об уличке, как об ущелье, то есть чемто сплошном, цельном. Раз не улица, а ущелье, то не дома, а гора, гора справа, гора слева, поди-ка найди *дом*! Недробимость.

Но — найти нужно. Проще бы: "Сезам, раскройся!" Чтобы вся гора — сразу, а во всей горе — вся сплошь

— Гончарова. Но этого, твердо знаю, на сегодня не будет. С такими чудес не бывает, бывает с теми, кому не нужно, именно нужно, одним только и нужно. Раз я верю, что гора может раздаться, зачем же ей мне раздаваться? Со всяким, как я, гора "свои люди", для которых — неблагодарность любимых: — стараться не стоит. Одним дана вера, другим — чудеса.

И — чудо! Тот самый. Настолько тот самый, как если бы сам сказал: вот я. Особый среди особых, несравненный среди несравненных, все превосходные степени исключительности.

Вхожу. Справа светлое окно привратницы — именно привратницы: при вратах, да еще каких! — которой я никогда не видела и которую увидеть боюсь: в таком доме привратнице должно быть, по крайней мере, двести лет, и ей моего приветствия, как мне ее напутствия, не понять. Спешно миную, и в полном разгоне... Куда? Все нежилое. Что самое жилое из нежилого? Есть дома, где живут. Есть дома, которые живут. Сами. Вне людей. Стенами, ступенями, тупиками, выступами, закоулками, стуками, шагами, тенями, — всем, кроме человека. Дома, где "водится" (все, кроме человека). Дома "обитаемые" и, тем, необитаемые. Дома, столь жившие, или — так сильно жившие, что просто живут дальше. Как книга, уже не нуждающаяся ни в авторе, ни в читателях. Источник жизни, хранилище жизни, но уже не игралище ее. Дом, вышедший из игры.

Своды. Норы. Либо упрешься в стену, либо уйдешь навек. Дом не выстроенный, а прорытый. Не руки рыли. Стою, как на перекрестке. Вправо пойдешь — коня потеряешь. Влево пойдешь... Влево.

Дворы старых домов. Не люди мостили, великаны играли. Я камень, ты камень, я больше, ты еще больше, я глыбу, ты — гору. Нога ничего не узнает, непрестанно обманывается. Я глыбу, ты — гору. Я — утес, ты — ничего. Ничего называется яма. Яма то место, с которого, не доиграв, ушли. А мне по нему идти. Много таких мест. Так, с горы да в яму, из ямы да на гору... — проход! Световая щель. Увы, до последней секунды скрывавший свой свет. Вся дикость газа в ущелье.

Сверху течет — вечно. Вверяюсь стенам, знающим, куда идут и ведут. Я — не знаю. Знаю только: под рукой — бока, а под ногой — река. Бывшая. Поворотами реки, как поворотами плеча...

Лестница. Ступени — ибо надо же как-нибудь назвать! — деревянные. При первом заносе ноги, нога же, она же, узнает никогда не испытанные ступени пирамид. Если двор — великаны мостили, то лестницу они уже громоздили. Игра в кубики, здесь — кубы. Я выше, ты еще выше, я утес, ты — ничего. Следы той же игры, веселой для них, страшной для нас. (Так и большевики веселились, а мы боялись, так и большие веселятся, а дети...) Дерево ступеней оковано — окантовано железом. Если вглядеться — а чего не увидишь, ибо чего нет в старом дереве — ряд картин, взятых в железо. Гончарова к себе идет по старым мастерам, старейшему из них — времени.

Площадка за площадкой, на каждой провал — окно. Стекол нет и не было. Для выскока. Памятуя слова: "выше нельзя, потому что выше нет", этажей не считаю. Этажи? Эпохи. По такой лестнице самый быстроногий идет сто лет.

Картина, на которую много глядено, лестница, по которой много хожено, — глядение и хождение по следам всех тех до меня, мой след (взгляд) — последний, я крайняя точка этой поверхности, ее последний слой. Ступени от ходьбы явно протираются, неявно утолщаются. Что нога взяла, то след дал, нога унесла — след превнес. Наслоение шагов, как на стене — теней. Оттого так долго живут старые дома, питаемые всей жизнью, превносимой. Такой дом может простоять вечно, не живым укором, а живой угрозой подрастающим, перерастающим, *не* перестаивающим. За бывшим не угнаться. Снеси сегодня, я тебя уже не перестоял, всем уже стоянным, выстоянным.

Оттого так долго идут по такой лестнице гости, а хозяева — так долго ждут.

Верх. Тот самый, дальше которого нельзя, ибо дальше нет. Переводя на время — конец четырехсот лет, которые стоит этот дом, то есть нынешнее число —

9-ое ноября 1928 г. — крайний час и миг этого дня. На данную секунду — конец истории.

В этом доме несколько сот лет тому назад жил величайший поэт Франции.

МАСТЕРСКАЯ

Первое: свет. Второе: пространство. После всего мрака — весь свет, всей стиснутости — весь простор. Не было бы крыши — пустыня. Так — пещера. Световая пещера, цель всех подземных рек. На взгляд — верста, на стих — конца нет... Конец всех Аидов и адов: свет, простор, покой. После этого света — тот.

Рабочий рай, *мой* рай и, как рай, естественно здесь не данный. В пустоте — в тишине — с утра. Рай прежде всего место пусто. Пусть — просторно, просторно — покойно. Покойно — светло. Только пустота ничего не навязывает, не вытесняет, не исключает. Чтобы всё могло быть, нужно, чтобы ничего не было. Всё не терпит *чего* (как "могло бы" — есть.) — А вот у Маяковского рай — со стульями. Даже с "мебелями". Пролетарская жажда вещественности. У всякого свой.

Пустыня. Пещера. Что еще? Да палуба! Первой стены нет, есть — справа — стекло, а за стеклом ветер: море. Вечером, в нерабочее время, когда отдыхает кисть и *доходит* гость, стеклянная стена, морская, исчезает за другой, льющейся. Шелк или нет — желт. По вечерам в мастерской Гончаровой встает другое солнце.

Кроме стеклянной, правой, другая левая. Деревянная или каменная? (Что-то слышала о пристройке.) В старом доме и дерево — камень. (Преосуществление исконного материала: старая кожа, делающаяся бронзой, старое дерево — костью, глина — медью, лица старух и мертвых — всем, чем угодно, кроме плоти.) Не деревянная и не каменная, равно как третья, с которой сходится — стена холстов (холсты лицом *от*) — стена крестов. Деревянных крестов подрамников. То же, что булыжники двора, что кубы лестницы, есть до неба, есть по пояс (только пробелов нет, ни одного ничего!) — тоже, может быть, те же великаны играли и, *доиграв*, составили к стенке, лицом от глаз: сглазу. Не верю в разные силы, сила одна, игра — одна. Все дело в мере. Стихия, играя, не доигрывает и переигрывает:

> Но ты взыграл, неодолимый,
> И стая тонет кораблей...

Ряд оконченных холстов — творчеством доделанная стихия творчества, день седьмой. Много дней седьмых в жизни Натальи Гончаровой, здесь, перед глазами, лицом к стене — от глаз. Дней седьмых — в прошлом, никогда в настоящем. Творящее творение тем отличается от Творца, что у него после шестого сразу первый, опять первый. Седьмой нам здесь, на земле, не дан, дан может быть нашим вещам, не нам.

Пол. Если от простора и света впечатление пустыни, то пол — совсем пустыня, сама пустыня. Не говоря уже о беспредметности его (ничего, кроме насущного ничего) — физическое ощущение песка, от стружек под ногами. А стружки от досок, строгаемых. Не стружки даже, — деревянная пыль, пыльца, как песок осуществляющая тишину. Что тише земли? Песок. (Знаю и песок поющий, свистящий под ногой, как разрываемый шелк, песок иных прибрежий океана, но — тишина не отсутствие звуков, а отсутствие лишних звуков, присутствие насущных шумов — шум крови в ушах (комариное з-з-з), ветра в листве, в данную минуту, когда стою на пороге мастерской, шум переворачивающейся воды в паровом отоплении — огромной печке, тепловом солнце этой пустыни.) Пустыня и — оазис! Справа, вдоль стеклянной стены, вся песчаная полоса — в цветном! Вглядываюсь ниже — глиняные миски с краской: из той же коричневой чашечки — каждый раз другой цветок! Цветы, как на детских картинках или виденные сверху, на лужайках: все круглые, плоские, одни по краям, другие на самом донышке — не один оазис, а ряд оазисов, маленьких цветных островков, морец, озерец. Моря для маленьких, моря с блюдце. Из таких донышек — такие громады (холсты). Все в этом деле нечеловеческое: Божеское!

Пещера, пустыня и — не сон же все эти глиняные горшки и миски — гончарня. Как хорошо, когда *так* спевается!

В первый раз я мастерскую увидела днем. Тогда ущелье было коридором, одним из бесчисленных коридоров старого дома — Парижа. А мастерская — по жаре — плавильней. Терпение стекла под нестерпимостью солнца. Стекло под непрерывным солнечным ударом. Стекло, каждая точка которого зажигательное стекло. Солнце палило, стекло калилось, солнце палило и плавило. Помню льющийся пот и рубашечные рукава друзей, строгавших какую-то доску. Моя первая мастерская Гончаровой — совершенное видение труда, в поте лица, под первым солнцем. В такую жару есть нельзя (пить — зря), спать нельзя, говорить нельзя, дышать нельзя, можно только — единственное, что всегда можно, раз навсегда нужно — работать. И плавить не стекло, а лбы.

Помню, в этот первый раз — где-то сбоку — площадку, которая затем пропала. Под ней косяки крыш — один из Парижей Гончаровой, а над ней, на ней — одно из гончаровских солнц, отвесных — и я под ним. Жарче — лучше — мне в жизни не было.

Площадка пропала с солнцем, и выйти на нее из мастерской сейчас, в январе, так же невозможно, как вызвать то солнце. Вернемся с ним.

Пещера — пустыня — гончарня — плавильня.

Почему из всего Парижа Гончарова выбрала именно этот дом? Самый богатый красками художник — дом в одну краску: времени, зачинатель новой эпохи в живописи — дом, где этажи считают эпохами, едва ли не современнейший из художников — дом, современники которого спят вот уже четыреста лет. Гончарова — развалины. Гончарова — дом на снос. "Льготный контракт"?.. Необычайные даже для мастерской размеры помещения?.. Латинский квартал?.. Да, да, да. Так скажут знакомые. Так скажет — кто знает — может быть, сама Гончарова. А вот что скажет дом.

Чтобы преодолеть страх перед моей тишиной, нужно быть самым громким, страх перед моим сном — самым бодрствующим, страх перед моими веками — самым молодым, страх перед моим бывшим — самым будущим! "Темен — освещу, сер — расцвечу, тих — оглашу, ветх — укреплю..."

Или же: "Темен — подгляжу, тих — подслушаю, стар — поучусь".

Или же: тишину — тишиной, сон — сном, века — веками веков. Преодолеть меня мною же, то есть вовсе не преодолевать.

Первое — ребенок, второе — ученик, третье — мудрец. Все трое вместе — творец.

Сила на силу — вот ответ старого дома.

Еще один ответ: самосохранение Гончаровой-художника. Пресловутая "Tour d'ivoire"[1] на гончаровский лад. Дом — оплот (недаром в один цвет: защитный — времени.) Сюда не доходят шумы и сюда не очень-то заходят люди. "В гости" — это такой улицей, таким двором, такой лестницей-то — в гости? Переборет этот страх и мрак только необходимость. (В гости ходят не так к знакомым, как к их коврам, полам...)

Остальные не дойдут или не найдут. Остальные отстанут. Останутся.

И еще: игра. Такая сила творческой игры в булыжниках двора, расселинах стены, провалах лестницы, такая сила здесь играла, что Гончаровой, с ее великанскостью творчества, — упрек одного критика: "Да это же не картины, это — соборы!" — этот дом просто сродни. Таким его сделало время, то есть естественный ход вещей. К этому дому, такому, как он сейчас есть, будто бы и рука не прикасалась. Не прикасалась она и к самой Гончаровой, — никакая, кроме руки природы. Гончарова себя не строила, и Гончарову никто не стро-

---

[1] Башня из слоновой кости (*франц.*).

ил. Гончарова жила и росла. Труд такой жизни не в кисти, а в росте. Или же: кисть: рост.

У Гончаровой есть сосед: маленький французский мальчик, обожающий рисовать. "Сколько бы раз я ни вышла на лестницу: "Bonjour, Madame!" — и сейчас показывать. — Стережет. — Пока какие-то каракульки, но любит страстно. Может быть что-нибудь и выйдет..."

Случайность? Такая же, как Гончарова и дом. Как Трехпрудный пер., д. 8, и Трехпрудный пер., д. 7, к которым сейчас вернусь. О мальчике же: если бы мальчик знал, — кто эта "Madame", и если бы Наталья Гончарова через двадцать лет могла сказать: "Если бы я тогда знала, кто этот мальчик..."

ТРЕХПРУДНЫЙ

Трехпрудный. Это слово я прочла на упаковочном ящике черными буквами по, видавшему виды, дереву.

— Трех... то есть как Трехпрудный? — Переулочек такой в Москве, там у нас дом был. — Номер? — Седьмой. — А мой — восьмой. — С тополем? — С тополем. Наш дом, цветаевский. — А наш — гончаровский. — Бок о бок? — Бок о бок. А вы знаете, что ваш дом прежде был наш, давно когда-то, все владение. Ваш двор я отлично знаю по рассказам бабушки. Женихи приезжали, а она не хотела, качалась на качелях... — На нашем дворе? — На вашем дворе. — В этом доме я росла. — В доме рядом я — росла.

Бабушка, качающаяся на качелях! Бабушка, качающаяся на качелях, потому что не хочет женихов! Бабушка, не хотящая женихов, потому что качается на качелях! Бабушка, от венца спасающаяся в воздух! Не чепец кидающая в воздух, а самое себя! Бабушкины женихи... Гончаровой-бабушки женихи!

Недаром у меня, тринадцатилетней девочки, было чувство, что живу десятую жизнь, не считая знаемых мною — отца, матери, другой жены отца, ее отца и матери, — а главное какой-то прабабки: румынки, "Мамаки", умершей в "моей" комнате и перед смертью вылезшей на крышу — кроме всех знаемых — все незнаемые. Сила тоски в тех стенах! И когда я, пятнадцати лет, от жизни: дружб, знакомств, любовей спасалась в стихи!..

Мои пятнадцатилетние стихи — не гончаровской ли бабушки качели?

Знала, знала, знала, что до отца с одной женой, потом с другой, до чужого деда с чужой бабушкой, до моих собственных до-до-до — здесь было, было, было!

И, шестнадцати лет, стих:

> Будет скоро тот мир погублен!
> Посмотри на него тайком,
> Пока тополь еще не срублен
> И не продан еще наш дом.
>
> Этот тополь! Под ним ютятся
> Наши детские вечера.
> Этот тополь среди акаций,
> Цвета пепла и серебра.

И еще тогда же:

> Высыхали в небе изумрудном
> Капли звезд и пели петухи...
> Это было в доме старом, доме чудном...
> Чудный дом, наш дивный дом в Трехпрудном,
> Превратившийся теперь в стихи.

Этих стихов нигде нет — что знала, то сказала — и дома нигде нет. В первый раз, в Революцию, я, держа на вытянутых руках свою, четырехлетнюю тогда, Алю, увидела в окна залы рабочих, хлебавших деревянными ложками воблинный суп, в последний раз — с той же Алей за руку — да где же дом?

Закрываю глаза — стоит. Открываю — нет.

Тополя не снесли. Потом, может быть. Больше я в Трехпрудном не была. Больше не буду, даже если типография Левенсон — наперекосок от бывших нас, — где я печатала свою первую книгу, когда-нибудь будет печатать мою последнюю[1].

В первый раз я о Наталье Гончаровой — живой — услышала от Тихона Чурилина, поэта. Гениального поэта. Им и ему даны были лучшие стихи о войне, тогда мало распространенные и не оцененные. Не знают и сейчас. Колыбельная, Бульвары, Вокзал и, особенно мною любимое — не все помню, но что помню — свято:

> Как в одной из стычек под Нешавой
> Был убит германский офицер,
> Неприятельской державы
> Славный офицер.
> Где уж было, где уж было
> Хоронить врага со славой!
>> Лег он — под канавой.
>> А потом — топ-топ-топ —
>> Прискакали скакуны,
>> Встали, вьются вкруг канавы,
>> Как вьюны.
>> Взяли тело гера,
>> Гера офицера
>> Наперед.
>> Гей, наро-ды!
>> Становитесь на колени пред канавой,
>> Пал здесь прынц со славой.
> ...Так в одной из стычек под Нешавой
> Был убит немецкий, ихний, младший прынц.
> Неприятельской державы
> Славный прынц.

— Был Чурилин родом из Лебедяни, и помещала я его, в своем восприятии, между лебедой и лебедями, в полной степи.

---

[1] Еще совпадение. Книга Вересаева "Пушкин в жизни", которою я с восхищением и благодарностью пользовалась для главы "Наталья Гончарова — та", оказалась отпечатанной в 16-й типографии "Мосполиграф", Трехпрудный пер., д. 9, т.е. в той же моей первой типографии Левенсон, где, кстати, и Гончарова печатала свою первую книгу. (*Примеч. М.И. Цветаевой.*)

Гончарова иллюстрировала его книгу "Весна после смерти", в два цвета, в два не-цвета, черный и белый. Кстати, непреодолимое отвращение к слову "иллюстрация". Почти не произношу. Отвращение двойное: звуковое соседство перлюстрации и смысловое: illustrer: ознаменичивать, прославливать, странным образом вызывающее в нас обратное, а именно: несущественность рисунка самого по себе, применительность, относительность его. Возьмем буквальный смысл (ознаменичивать) — оскорбителен для автора, возьмем ходовое понятие — для художника[1].

Чем бы заменить? Украшать? Нет. Ибо слово в украшении не нуждается. Вид книги? Недостаточно серьезная задача. Попытаемся понять, что сделала Гончарова по отношению книги Чурилина. Явила ее вторично, но на своем языке, стало быть — первично. Wie ich es *sehe*[2]. Словом — никогда без Германии не обойдусь — немецкое nachdichten[3], которым у немцев заменен *перевод* (сводной картинки на бумагу, иного не знаю).

Стихи Чурилина — очами Гончаровой.

Вижу эту книгу, огромную, изданную, кажется, в количестве всего двухсот экз. Книгу, писанную непосредственно после выхода из сумасшедшего дома, где Чурилин был два года. Весна после смерти. Был там стих, больше говорящий о бессмертии, чем тома и тома.

> Быть может — умру,
> *Наверно* воскресну!

Под знаком воскресения и недавней смерти шла вся книга. Из всех картинок помню только одну, ту самую

---

[1] Есть еще одно значение, мною упущенное: lustre — блеск и lustre — месячный срок ("douze lustres"), т.е. тот же блеск; месяц. Откуда и люстра. Откуда и illustre (славный), так же, как наша церковная "слава", идущая от светила. Illustrer — придавать вещи блеск, сияние: осиявать. Перлюстрировать — просвечивать (как рентгеном). (*Примеч. М.И. Цветаевой.*)

[2] Как я это вижу (*нем.*).

[3] Переводить вольно (*нем.*).

одну, которую из всей книги помнит и Гончарова. Монастырь на горе. Черные стволы. По снегу — человек. Не бессознательный ли отзвук — мой стих 1916 г.:

> ...На пригорке монастырь — светел
> И от снега — свят.

— Книга светлая и мрачная, как лицо воскресшего. Что побудило Гончарову, такую молодую тогда, наклониться над этой бездной? Имени у Чурилина не было, как и сейчас, да она бы на него и не польстилась.

Гончарова, это слово тогда звучало победой. В этом имени мне всегда слышалась — и виделась — закинутая голова.

> (Голова с заносом,
> Волоса с забросом!)

Это имя — оглавляло. Та же революция до революции, как "Война и мир" Маяковского, как никем не замеченная тогда книга Пастернака "Поверх барьеров".

И когда я — в прошлом уже! — 1928 году летом — впервые увидела Гончарову с вовсе не закинутой головой, я поняла, насколько она выросла. Все закинутые головы — для начала. Закидывает сила молодости (задор!), вызревшая сила скорее голову — клонит.

Но одно осталось — с забросом.

Внешнее явление Гончаровой. Первое: мужественность. — Настоятельницы монастыря. — Молодой настоятельницы. Прямота черт и взгляда, серьезность — о, не суровость! — всего облика. Человек, которому все всерьез. Почти без улыбки, но когда улыбка — прелестная.

Платье, глаза, волосы — в цвет. "Самый покойный из всех..." Не серый.

Легкость походки, неслышность ее. При этой весомости головы — почти скольжение. То же с голосом. Тишина не монашенки, всегда отдающая громами. Тишина над громами. За-громная.

Жест короткий, насущный, человека, который занят *делом*.

— Моя первая встреча с Вами через Чурилина, "Весна после смерти".

— Нет, была и раньше, Вы не помните?

Гляжу назад в собственный затылок, в поднебесье.

— Вы ведь в IV гимназии учились?

— И в четвертой.

— Ну, вот, Вы, очевидно, были в приготовительном, а я кончала. И вот как-то после уроков наша классная дама, Вера Петровна такая, с попугаячьим носом, — "За Цветаевой нынче не пришли. Проводите ее домой. Вы ведь соседки?" Я взяла Вас за руку, и мы пошли.

— И мы пошли.

Дорого бы я дала теперь, чтобы сейчас идти за теми двумя следом.

Четвертая гимназия. Красные иксы балюстрады вокруг пруда — "прудов" — Патриарших. Первый гимназический год, как всё последующее, менял школы, как классы и города, как школы — без друзей, с любовью к какой-нибудь одной, недосягаемой, ибо старшей, — с неизменным сочувствием все тех же трех учителей — русского, немецкого, французского, — с неизменным презрением прочих. Патриаршие пруды, красные фланелевые штаны, восемь лет, иду за руку с Натальей Гончаровой.

(Может, и не было. Кажется, не могло быть. И не меня вели, а другую, Цветкову, напр. Или мою старшую сестру — тоже Цветаева и тоже Трехпрудный. Но *та* не помнит, а я помню. Но ту не помнит, *меня* помнит.

Значит — я. Значит — мое.)

МЛАДЕНЧЕСТВО

Наталья Гончарова родилась в Средней России, в самом сердце ее, в Тульской губ., деревне Лодыжино. Места толстовско-тургеневские. Невдалеке Ясная Поляна, еще ближе Бежин Луг. А в трактире уездного городка Чермь — беседа Ивана с Алешей. Растет с братом-погодком в имении бабушки. Бабушка безвыездная: ни к кому никуда, зато к ней все, вся деревня. По вечерам беседы на крыльце. Что у кого отелилось — ожеребилось — родилось, что у кого болит — чем это что лечить. Бабушка живет в недостроенном доме, родители Гончаровой с детьми напротив, в недоснесенном. Почему недоснесли? Почему недостроили? Так, между начатком и пережитком, протекает ее младенчество. Два дома и ни одного цельного, а зато два. Дом в ущелье — прямой вывод тех двух. Прямым выводом была бы и палатка, всякое жилье, кроме комфортабельной казармы современности. Это — отзвук в быту. И — обратный урок колыбели: недостроенное — достраивай! Законченные "соборы" Гончаровой — *нет* всем недостроенным домам.

— У вас есть любимые вещи? — Нелюбимые — есть. Недоделанные. Я просто оборачиваю их лицом к стене, чтобы никто не видел и самой не видеть. А потом, какой-то нужный час — лицом от стены и — все заново.

На вопрос, на который никто не отвечает сразу, а иные не отвечают вовсе, не потому, что не было, а потому, что не думали ("да у меня и не было первого!" ушами слышала) — Гончарова ответила точно и сразу:

— Первое воспоминание? В той комнате, знаете, о которой я Вам говорила, — белянке, мы с братом за круглым столом смотрим картинки. Книга толстая, картинок много. Года? Два.

— А это должно быть второе, если не первое. Я все детство прожила в деревне и совсем не помню зимы. Была же, и гулять должно быть водили, — ничего. А *это* помню. Весна на гумне. Меня за руку ведут через лужи. А из лужи (голос тишает, глаза загораются, меня, на которую глядят, не видят, видят): — из-под льда и снега — ростки. Острые зеленые ростки. На гумне всегда много зерен рассыпано. Первые проросшие.

Ну, есть и лучшие, ну, может ли быть лучше, чем два первых сразу, *вся* Гончарова в колыбели: сила природы в ней и тяга ремесла. Книга то-олстая! Картинок

106

мно-ого! И не эти ли острые ростки — потом — через всю книгу ее творчества: бытия.

— Кукол не любила, нет. Кошек любила. А что любила — садики делать. (Вообще любила делать.) Вырезались из бумаги кусты, деревца и расставлялись в коробке. Четыре стенки — ограда. Законченный сад.

— Вам не хотелось сейчас — такое деревцо, тогдашнее?

(Голубово, имение барона Б.А. Бревского. "В устройстве сада и постройках принимал Пушкин, по фамильному преданию, самое горячее участие: сам копал грядки, рассадил множество деревьев, что, как известно, было его страстью".)

— Вы говорите, первое воспоминание. А вот — самое сильное, без всяких событий, песня. Нянька пела. Припев, собственно:

> А молодость не вернется
> Не вернется опять.

— А знаете, в чем дело? В противузаконном "опять". Если бы во-век — не то было бы, не все было бы. Какое нам дело, что во-век? Во-век, это так далеко, во-век, это вперед, в будущее, то во-век, в которое мы не верим, до которого нам дела нет, во-век, это ведь и после нас, а не с нами, после всех. Ведь во-век — это не только в *наш* век (жизнь), в наш *век* (столетие), а вообще — и во веки веков. Поэтому безразлично.

А вот *опять*, то есть сюда же, на эту точку, на которой мы сейчас стоим. Ведь *мы* стоим, *вещь* уходит! Не вернется опять — вспять. В опять ее невозвратный шаг от нас, просто — ушагивает.

А во-век — никогда — никакого зрительного впечатления, отвлеченность, в которую мы не верим. Кто же когда либо верил в *ничто и никогда*.

Усиленное не вернется, не только не вернется, но сугубо не вернется. Вот — опять!

— Я ведь маленькая была и слов не понимала. Понимала только, что ужасно грустно.

— Вы понимали — смысл.

— А еще у нас была молельня. Но до молельни были молитвы, то есть нянька. Красивая, молодая, черноглазая. И вот, не знаю уж для чего, может быть, чтобы сидели смирно, а может быть, чтобы просто сидели, а она бы уходила, — молитвы. Сидим и молимся. Да как! Часами! (Может быть, ее же, нянькины, грехи и замаливали...) Вы только представьте себе: дети, резвые, драчуны — я до пятнадцати лет дралась с братом, мы запирали дверь на задвижку и дрались, дрались ожесточенно! — только тогда перестали, когда он явно стал одевать, знаете — одним махом — и тогда я поняла, что бесполезно, — дети, резвые, драчуны, — а ведь как ждали этого часа! — "Вот когда папа с мамой уйдут".

— А что это были за молитвы?

— Не знаю. Простые, должно быть.

— Хлыстовские, может быть?

— А молельня: там у нас фильтр был — знаете, такая громада? Тяжелый, глиняный, нелепый какой-то. И никто, конечно, не цедил. А фильтр стоял. А стоял он на ящике, особом таком, в боку отверстие, вроде окна. Знаете такие ящики? И вот однажды мы, поглядев, поняли, что это, собственно, храм. Огромный храм, только маленький. И устроили молельню. Пол выстлали золотой бумагой, даже алтарь был. И — молились.

— Но как же, — раз ящик был маленький?

— Не в нем молились, в *него* молились, через то окошко, боковое...

(Перекличка. Недавно я, во вступлении к письмам Рильке, обмолвилась: "Еще мне хочется говорить — ему, точней — *в него*". То, что Гончарова говорит о храме, относится также к Божеству храма: в него молиться, не ему молиться.)

..."Нянька знала. А мать, кажется, нет. Просто топчемся около фильтра. Мало ли..."

Гончаровские соборы из глубока росли!

"В гимназию поступила прямо из деревни. От всех доставалось, за все доставалось. Особенно от словесника за орфографию. — Плохую? — "Тульскую. Говорила по-тульски — х вместо ф и все такое — а писала как говорила. Написанным это должно было выглядеть ужасно". — Ужасно. — "А еще от классной дамы — за кудри. Вились только две передние пряди, это-то и сбивало: вся гладкая, а по бокам вьюсь. И глажу, и мажу... Сколько — раз: "Гончарова, к начальнице в кабинет!" — "Опять завилась?" — И мокрой щеткой, до боли в висках. Выхожу, гладкая, как мышь, а сама смеюсь, — от воды ведь, знаете, что с кудрявыми волосами? И на следующей перемене..."

— "А кудри завьются, завьются опять!"

Только погрустить об этих педагогах, могущих заподозрить в щипцах — этот дичок, за давностью преподавания природоведения забывших, очевидно, что есть волосы, действительно вьющиеся, как хмель вьется, и что с такими волосами — как с хмелем — как с самой Гончаровой — ничего не поделаешь. Разве что вырвать с корнем.

Все это мелочи — и драки, и молельни, и кудри. Останется не это, а "соборы". Хочу, чтобы и это осталось.

Есть ли у художника личная биография, кроме той, в ремесле? И, если есть, важна ли она? Важно ли то, из чего? И — из того ли — то?

Есть ли Гончарова вне холстов? Нет, но была *до* холстов, Гончарова до Гончаровой, все то время, когда Гончарова звучало не иначе, как Петрова, Кузнецова, а если звучало — то отзвуком Натальи Гончаровой — той (печальной памяти прабабушки). Гончаровой до "соборов" нет — все они внутри с самого рождения и до рождения (о, вместимость материнского чрева, носящего в себе *всего* Наполеона, от Аяччио до св. Елены!) — но есть Гончарова до холстов, Гончарова немая, с рукой, но без кисти, стало быть — без руки. Есть препоны к соборам, это и есть личная биография. — Как жизнь не давала Гончаровой стать Гончаровой.

Благоприятные условия? Их для художника нет. Жизнь сама неблагоприятное условие. Всякое творчество (художник здесь за неимением немецкого слова Künstler) — перебарыванье, перемалыванье, переламыванье жизни — самой счастливой. Не сверстников, так предков, не вражды, ожесточающей, так благожелательства, размягчающего. Жизнь — сырьем — на потребу творчества не идет. И как ни жестоко сказать, самые неблагоприятные условия — быть может — самые благоприятные. (Так, молитва мореплавателя: "Пошли мне Бог берег, чтобы оттолкнуться, мель, чтобы сняться, шквал, чтобы устоять!")

Первый холст — конец этой Гончаровой и конец личной биографии художника. Обретший глас (здесь хочется сказать — глаз) — и за него ли говорить фактам? Их роль, в безглагольную пору, первоисточника, отныне не более как подстрочник, часто только путающий, как примечания Державина к собственным стихам. Любопытно, но не насущно. Обойдусь и без. И — *стихи лучше знают*!

И если ценно, то в порядке каждой человеческой жизни, может быть и менее, потому что менее показательно. Не-художник в жизни живет весь, на жизнь — ставка, на жизнь как она есть, здесь — на жизнь как быть должна.

Холст: *есмь*. Предыдущее — ход к холсту.

Есть факты — наши современники. Есть — наши предшественники, факты *до* нас. "Когда я не была Гончаровой" (не для других, а для самой себя, не Гончаровой — именем, а Гончаровой — силой). Таково все детство и юность. Предки, предшественники, предтечи. Их и нужно слушать. Дедов — о будущих внуках. Гончарова — маленькая, себе нынешней бабушка, слепая и вещая. Рука Гончаровой, насаживающая садик, знает, что делает, пятилетняя Гончарова — нет. Встреча знания с сознанием, рукѝ Гончаровой с головой Гончаровой — первый холст. Рука Гончаровой, насаживающая садик, — рука из будущего. Здесь пращур вещ. Ее рука умнее ее. В последующем — юношестве — рука (инстинкт) сдает. Лучший пример — та же Гончарова, кончающая школу живописи и ваяния — скульптором. Боковое ответвление принявшая за ствол. Рука, смело раскрашивающая деревья в семью-семь цветов радуги, здесь ослепла и наткнулась на форму. (Бабушка заснула, и внучка играет сама.)

Детство — пора слепой правды, юношество — зрячей ошибки, иллюзии. По юношеству никого не суди. (Казалось бы — исключение Пушкин, до семи лет толстевший и копавшийся в пыли. Но почем мы знаем, что он думал, верней, что в нем думало, когда он копался в пыли. Свидетелей этому не было. Последующее же — о несуждении по юношеству — к Пушкину относится более, чем к кому-либо. Пушкин, беру это на себя, за редкими исключениями в юношестве — отталкивает.)

О, это потом опять споется — как спелось с Гончаровой. Сознание доросло до инстинкта, не спелось, а спаялось с ним. С первым холстом (*с фактом* — актом — первого холста, каков бы ни был) Гончарова — зрячая сила, вещь почти божественная.

История моих правд — вот детство. История моих ошибок — вот юношество. *Обе* ценны, первая как Бог и я, вторая как я и мир. Но, ища нынешней Гончаровой, идите в ее детство, если можете — в младенчество. Там — корни. И — как ни странно — у художника ведь так: сначала корни, потом ветви, потом ствол.

История и до-история. Моя тяга, поэта, естественно, к последней. Как ни мало свидетельств — одно доисторическое — почти догадка — больше дает о народе, чем все последующие достоверности. "Чудится мне"... так говорит народ. Так говорит поэт.

Если есть еще божественное, кроме завершения, мира явленного, то — он же в замысле.
Еще божественнее!

Но есть и еще одно — уже не божественное, а человеческое — в личной биографии большого человека:

то сжатие сердца, с которым встречаем гончаровское деревцо. То соучастие сочувствия, вызываемое в нас, всех так игравших, ею, доигравшей и выигравшей.

У подножия тех соборов — та картонка.

Простое умиление сердца.

ДВЕ ГОНЧАРОВЫ

— Что Вы сейчас пишете?

— Наталью Гончарову.

— Ту или эту?

Значит, две. Две и есть. Чем руководствовались родители нашей, назвав ее тем именем, еще раз возобновив в наших ушах злосчастное созвучие, почти что заклеймив. В честь? Мысленно оставляю пустое место. В память? Помним и так. Может быть — и скорее всего — попросту: у нас-де в роду имя Наталья. Но именно таким попросту орудует судьба. К этому еще вернусь, говоря о Наталье Гончаровой — той.

Наталья Гончарова — та — вкратце.

Молодая девушка, красавица, та непременная красавица многодочерних русских семейств, совсем бы из сказки, если из трех сестер — младшая, но старшая или младшая, красавица — сказочная, из разорившейся и бестолковой семьи выходит замуж за — остановка — за кого в 1831 г. выходила Наталья Гончарова?

Есть три Пушкина: Пушкин — очами любящих (друзей, женщин, стихолюбов, студенчества), Пушкин — очами любопытствующих (всех тех, последнюю сплетню о нем ловивших едва ли не жаднее, чем его последний стих), Пушкин — очами судящих (государь, полиция, Булгарин, иксы, игреки — посмертные отзывы) и, наконец, Пушкин — очами будущего — *нас*.

За кого же из них выходила Гончарова? Во всяком случае, не за первого и тем самым уже не за последнего, ибо любящие и будущее — одно. Может быть, за второго — Пушкина сплетен — и — как ни жестоко сказать — вернее всего, за Пушкина очами суда, Двора: за Пушкина — пусть со стихами, но без чинов, — за

Пушкина — пуще, чем без чинов — вчерашнего друга декабристов, за Пушкина поднадзорного.

Что бы ни говорилось о любви Николая I к Пушкину, этого слова государя о поэте достаточно: "Здесь все тихо, и одна трагическая смерть Пушкина занимает публику и служит пищей разным глупым толкам. Он умер от раны за дерзкую и глупую картель, им же посланную, но слава Богу, умер христианином". И еще, в ответ на нижеследующие слова Паскевича: "Жаль Пушкина, как литератора, в то время, когда его талант созревал, но человек он был дурной". — "Мнение твое о Пушкине я совершенно разделяю, и про него можно справедливо сказать, что в нем оплакивается будущее, а не прошедшее. (Будущее — что? "Хороший" человек, в противовес "дурному", бывшему? Или будущий большой писатель. Если первое — откуда он взял, вернее, как он, хоть на ноготь зная Пушкина, мог допустить, что Пушкин будет — "хорошим" (в его толковании!). Да даже если бы на смертном одре самоустно ему, государю, поклялся — клянется *умирающий*, держит (не держит) живущий. Если же второе, неужели государю всего данного Пушкиным было — мало? Где он видал больше? Да было ли больше в тридцать шесть лет? Но Бог иногда речет устами (даже цензоров!) *бывшее бы* (поведение, дарование) вот что хотел сказать, а сказал *будущее*, то есть назвал нас, безутешных в *таком* пушкинском окружении.

Николай I Пушкина ласкал, как опасного зверя, который вот-вот разорвет. Пушкина — приручал. Беседа с "умнейшим человеком России"? Ум — тоже хищный зверь, для государей — самый хищный зверь. Особенно — вольный. Николай I Пушкина засадил в клетку, а клетку позолотил (мундир камер-юнкера и — о, ирония! — вместо заграничной подорожной — открытый доступ в архив, которым, кстати, Пушкина при себе и держал. — "Ты в отставку, а я тебе архивную дверь перед носом". И — Пушкин остался. Вместо деревни — Двор, вместо жизни — смерть.)

Николай I Пушкина видел под страхом, под страхом видела его и Гончарова. Их отношение — тождественно. Если Николай I, как мужчина и умный человек, боялся в нем ума, Наталья Гончарова, как женщина, существо инстинкта, боялась в нем — его всего. Николай I видел, Наталья Гончарова чуяла, и еще вопрос — какой страх страшней. Ума ли, сущности ли, оба, и государь, и красавица, боялись, и боялись *силы*.

Почему Гончарова все-таки вышла замуж за Пушкина, и некрасивого, и небогатого, и незнатного, и неблагонадежного? *Нелюбимого*. Разорение семьи? Вздор! Такие красавицы разорять созданы. Захоти Гончарова, она в любую минуту могла бы выйти замуж за самого блистательного, самого богатого, самого благонадежного, — самое обратное Пушкину. Его слава? Но Гончарова, как красавица — просто красавица — только, не была честолюбивой, а слава Пушкина в ее кругах — ее мы знаем. Его стихи? Вот лучшее свидетельство, из ее же уст:

"Читайте, читайте, я не слушаю".

А вот наилучшее, из уст — его:

"...Я иногда вижу во сне дивные стихи, во сне они прекрасны, но как уловить, что пишешь во время сна. Раз я разбудил бедную Наташу и продекламировал ей стихи, которые только что видел во сне, потом я испытал истинные угрызения совести: ей так хотелось спать!

— Почему вы тотчас же не записали этих стихов?

Он посмотрел на меня насмешливо и грустно ответил:

— Жена моя сказала, что ночь создана на то, чтобы спать, она была раздражена, и я упрекнул себя за свой эгоизм. Тут стихи и улетучились".

(А.О. Смирнова, Записки, т. I)

Почему же? За что же?

Страх перед страстью. Гончарова за Пушкина вышла из страху, так же, как Николай I из страху взял его под свое цензорское крыло.

Не выйду, так... придется выйти. Лучше выйду. Проще выйти. "Один конец", так звучит согласие Натальи

Гончаровой. Гончарова за Пушкина вышла без любви, по равнодушию красавицы, инертности неодухотворенной плоти — шаг куклы! — а может быть и с тайным содроганием. Пушкин знал, и знал в этот час больше, чем сама Гончарова. Не говоря о предвидении — судьбе — всем *над* и *под* событиями, — Пушкин, как мужчина, знавший много женщин, не мог не знать о Гончаровой больше, чем Гончарова, никогда еще не любившая.

Вот его письмо:

"...Только привычка и продолжительная близость могут мне доставить привязанность Вашей дочери; я могу надеяться со временем привязать ее к себе, но во мне нет ничего, что могло бы ей нравиться; если она согласится отдать мне свою руку, то я буду видеть в этом только свидетельство спокойного равнодушия ее сердца.

...Не явится ли у нее сожаление? не будет ли она смотреть на меня, как на препятствие, как на человека, обманом ее захватившего? не почувствует ли она отвращения ко мне? Бог свидетель — я готов умереть ради нее, но умереть ради того, чтобы оставить ее блестящей вдовой, свободной хоть завтра же выбрать себе нового мужа, — эта мысль — адское мучение!"

(Пушкин — Н.И. Гончаровой (матери)
в перв. половине апреля 1830 г.)

Пушкин в этот брак вступил зрячим, не с раскрытыми, а с раздернутыми глазами, без век. Гончарова — вслепую или вполуслепую, с веками-завесами, как и подобает девушке и красавице.

С Натальи Гончаровой с самого начала снята вина.

("Молодость, неопытность, соображения семьи". Не доводы. Княгиня Волконская тоже была молода и неопытна, а семья — вспомним ее сборы в Сибирь! — тоже соображала — и как! "Молодость, неопытность, семья" — принадлежность всех невест того времени и ничего не объясняют. Не говоря уже о том, что девушки того круга почти исключительно жили чувствами и искусствами и тем самым больше понимали в делах сердца, чем наши самые бойкие, самые трезвые, самые просвещенные современницы.)

— Эту жизнь мы знаем. Выезжала, блистала, повергала к ногам всех, от тринадцатилетнего лицеиста до Всероссийского Самодержца — не хотя, но не противясь — как подобает Елене, рождала детей, называла их, по желанию мужа, простыми именами. (Мария, Александр — третьего: "Он дал мне на выбор Гаврилу и Григория (в память Пушкиных, погибших в Смутное время) Я выбрала Григория". Хорош выбор — между удавкой и веревкой! (В данную минуту с ней все мое сочувствие, право матери, явившей в мир, являть и в имени. Не то плохо, что Григорий плох, а что ей *пришлось* выбрать Григория.)

Безучастность в рождении, безучастность в наименовании, нужно думать — безучастность в зачатии их. Как — если не безучастность к собственному успеху — то неучастие в нем, ибо преуспевали глаза, плечи, руки, а не сущность, не воля к успеху: "вошел — победил". *Входить* — любила, а входить — побеждать. Безучастность к работе мужа, безучестность к его славе. Предельное состояние претерпевания.

Кокетство? Не больше, чем у современниц, менее прекрасных. Не она более кокетлива — те менее прекрасны. *Отсюда* успех. Две страсти, если можно применить к ней это слово: свет и обратная страсть: отвращение к деревне. Так, Пушкину на мечту о Болдине: "С волками? Бой часов? Да вы с ума сошли!" И залилась слезами.

Дурная жена? Не хуже других, таких же. Дурная мать? Не хуже других, от нелюбимого мужа. Когда Пушкина убили, она плакала.

Нет в Наталье Гончаровой ничего дурного, ничего порочного, ничего, чего бы не было в тысячах таких, как она, — которые *не* насчитываются тысячами. Было в ней одно: красавица. Только — красавица, просто — красавица, без корректива ума, души, сердца, дара. Голая красота, разящая, как меч. И — сразила.

Просто — красавица. Просто — гений.

Ибо все: и предательство в любви, и верность в дружбе, и сыновность своим дурным и бездарным родителям (прямо исключающим возможность Пушкина), и неверность — идеям или лицам? (нынче одна декабристам, завтра послание их убийце) и страстная сыновность России — не матери, а мачехе! — и ревность в браке, и неверность в браке, — Пушкин дружбы, Пушкин брака, Пушкин бунта, Пушкин трона, Пушкин света, Пушкин няни, Пушкин "Гаврилиады", Пушкин церкви, Пушкин — бесчисленности своих ликов и обличий — все это спаяно и держится в нем одним: поэтом.

Все на потребу! Керн так Керн, Пугачев так Пугачев, дворцовые ламповщики так дворцовые ламповщики (с которыми ушел и пропал на три дня, слушая и записывая. Пушкина — все уводило).

В *своем* (гении) то же, что Гончарова в *своем* (красоте). В своем *гении* то же, что Гончарова в своем. Не пара? Нет, пара. Та рифма через строку со всей возможностью смысловой бездны в промежутке. Разверзлась.

Пара по силе, идущей в разные стороны, хотелось бы сказать: пара друг от друга. Пара — врозь. Это, а не другое, в поверхностном замечании Вяземского: "Первый романтический поэт нашего времени на первой романтической красавице".

Неправы другие с их "не-парностью". Первый на первой. А не первый по уму на последней (дуре), а не первая по красоте на последнем (заморыше). Чистое явление гения, как чистое явление красоты. Красоты, то есть пустоты. (Первая примета рокового человека: не хотеть быть роковым и зачастую даже этого не знать. Как новатор никогда не хочет быть новатором и искренне убежден, что просто делает по-своему, пока ему ушей не прожужжат о его новизне, левизне! — роковое: эманация.)

Наталья Гончарова *просто* роковая женщина, то пустое место, к которому стягиваются, вокруг которого сталкиваются все силы и страсти. Смертоносное место. (Пушкинский гроб под розами!) Как Елена Троянская *повод*, а не причина Троянской войны (которая сама не что иное, как повод к смерти Ахиллеса), так и Гончарова не причина, а повод смерти Пушкина, с колыбели предначертанной. Судьба выбрала самое простое, самое пустое, самое невинное орудие: красавицу.

Тяга Пушкина к Гончаровой, которую он сам, может быть, почел бы за навязчивое сладострастие и достоверно ("огончарован") считал за чары, — тяга гения — переполненности — к пустому месту. Чтобы было куда. Были же рядом с Пушкиным другие, недаром же взял эту! (Знал, что брал.) Он хотел нуль, ибо сам был — все. И еще он хотел того *всего*, в котором он сам был нуль. Не пара — Россет, не пара Раевская, не пара Керн, только Гончарова пара. Пушкину ум Россет и любовь к нему Керн не нужны были, он хотел первого и недостижимого. Женитьба его так же гениальна, как его жизнь и смерть.

"Она ему не пара" — точно только то пара, что спевается! Есть пары по примете взаимного тяготения, счастливые по замыслу своему, по движению *к* — через обеденный ли стол (Филимон и Бавкида), через смертное ли ложе (Ромео и Джульетта), через монастырскую решетку (Элоиза и Абельяр), через все моря (Тристан и Изольда) — через все вопреки — вопреки всем через — счастливые: любящие.

Есть пары — тоже, но разрозненные, почти разорванные. Зигфрид, не узнавший Брунгильды, Пенфезилея, не узнавшая Ахилла, где рок в недоразумении, хотя бы роковом. Пары — всё же.

А есть роковые — пары, с осужденностью изнутри, без надежды ни на сем свете, ни на том.

Пушкин — Гончарова.

Что такое Гончарова по свидетельствам современников? Красавица. "Nathalie est un ange"[1] (Смирнова.)

---

[1] Наташа — ангел (*франц.*).

"Печать меланхолии, отречения от себя..." (NB! от очередного бала или платья?) Молчаливая. Если приводятся слова, то пустые. До удивительности бессловесная. Все об улыбке, походке, очах, плечах, даже ушах — никто о речах. Ибо вся в улыбках, очах, плечах, ушах. Так и останется: невинная, бессловесная — Елена — кукла, орудие судьбы.

Страсть к балам — то же, что пушкинская страсть к стихам: единственная полная возможность выявления. (Явиться — выявиться!) Входя в зал — рекла. Всем, от мочки ушка до носка башмачка. Всем сразу. Всем, кроме слов. Все être[1] красавицы в paraître[2]. Зал и бал — естественная родина Гончаровой. Гончарова только в эти часы *была*. Гончарова не кокетничать хотела, а быть. Вот и разгадка Двора и деревни.

А дома зевала, изнывала, даже плакала. Дома — умирала. Богиня, превращающаяся в куклу, возвращающаяся в небытие.

Если друг другу не пара, то только в христианском смысле брака, зиждущегося на совместном устремлении к добру. Ни совместности, ни устремления, ни добра. Впрочем, устремление было: брачная парная карета, с заездом на Арбат, дом Хитровой (туда молодые поехали после венца), гнала прямо на Черную речку. Отсюда пути расходятся: Гончарова — к Ланскому, Пушкин — в Святогорский монастырь.

Языческая пара, без Бога, с только судьбой.

Жуткая подробность. Карета, увозившая Пушкина на Черную речку, на дворцовой набережной поравнялась с каретой Гончаровой. Увидь они друг друга... "Но жена Пушкина была близорука, а Пушкин смотрел в другую сторону".

---

[1] Быть *(франц.)*.
[2] Казаться *(франц.)*.

Фактическое. Пушкин должен был быть убит белым человеком на белой лошади, в которого так свято верил, что даже ошибочно счел его Вейскопфом, (он точно свою смерть примерял) — одним из генералов польской войны, на которую стремился — навстречу смерти. Судьба посредством Гончаровой выбирает Дантеса, пустое место, равное Гончаровой. Пушкин убит не белой головой, а каким-то — пробелом.

Кто бы — кроме?

"Делать было нечего, я стал готовиться к поединку, купил пистолеты, выбрал секунданта, привел бумаги в порядок и начал дожидаться и прождал напрасно три месяца. Я твердо, впрочем, решил не стрелять в Пушкина, но выдерживать его огонь, сколько ему будет угодно".

(Гр. В.А. Соллогуб — *о б и ж е н н ы й* им!)

Не такой же, а именно Дантес, красавец, кавалергард, смогший на прощальные прощающие слова Пушкина со смехом ответить: "Передайте ему, что я его тоже прощаю!" Не Дантес смеялся, пушкинская смерть смеялась, — той белой лошади раскат (оскал).

Чтобы не любить Пушкина (Гончарова) и убить Пушкина (Дантес), нужно было ничего в нем не понять. Гончарову, не любившую, он взял уже с Дантесом in dem Kauf[1], то есть с собственной смертью. Посему, изменила Гончарова Пушкину или нет, только кокетничала или целовалась, только целовалась или другое все, ничего или все, — неважно, ибо Пушкин Дантеса вызвал за его любовь, не за ее любовь. Ибо Пушкин Дантеса вызвал бы в конце концов и за взгляд. Дабы сбылись писания.

И еще, изменила ли Гончарова Пушкину или нет, целовалась или нет, все равно — невинна. Невинна потому, что кукла невинна, потому что судьба, невинна потому, что Пушкина не любила.

---

[1] В придачу *(нем.)*.

А Ланского любила и, кажется, была ему верной женой.

"Первая романтическая красавица наших дней" не боялась призраков. Призрак Пушкина (живого из живых, страстного из страстных — *призрак арапа*!) страшен. Но она его не увидела, а не увидела его, потому что Пушкин знал, что не увидит. На призрак нужны — не те очи. Мало на него самых огромных, самых наталье-гончаровских глаз. Последний приход Пушкина был бы его последним поражением: она бы не оторвалась от Ланского, до которого наконец дорвалась.

Наталья Гончарова и Пушкин, Мария-Луиза и Наполеон. Тот же страшный сон, так скоро и так жадно забытый, Гончаровой на груди Ланского, Марией-Луизой на груди Нейперга.

Тяжело с нелюбимым. Хорошо с любимым. Так и в песнях поется. Нужно пожалеть и их.

Что же дальше с Гончаровой?

Раздарив все смертные реликвии Пушкина — "я думаю, вам приятно будет иметь архалук, который был на нем в день его несчастной дуэли", Нащокину — архалук (красный, с зелеными клеточками), серебряные часы и бумажник с ассигнацией в 25 р. и локоном белокурых волос, Далю — талисманный перстень с изумрудом и "черный сюртук с небольшой, в ноготок, дырочкой против правого паха" —

на вынос тела из дому в церковь "от истомления и от того, что не хотела показываться жандармам" не явившись (первое *неявление* за сто явлений!)

— А вот еще свидетельство, девять недель спустя:

"То, что вы мне говорите о Наталье Николаевне, меня опечалило. Странно, я ей от всего сердца желал утешения, но не думал, что желания мои исполнятся так скоро".

(А.Н. Карамзин — Е.А. Карамзиной,
8 апреля 1837 года из Рима.)

А вот другое, немного спустя:
"Ты спрашиваешь меня, как поживают и что делают

Натали и Александрина: живут очень неподвижно, проводят время как могут; понятно, что после жизни в Петербурге, где Натали носили на руках, она не может находить особой прелести в однообразной жизни завода, и она чаще грустна, чем весела".

(Д.Н. Гончаров — Екатерине Николаевне
Дантес-Геккерн, из Полотняного Завода,
4 сентября 1837 года.)

А вот и эпилог:

Наталья Николаевна Пушкина 18 июля 1844 года вышла замуж за генерала Петра Петровича Ланского.

1837 — 1844. Что же между? Два года добровольного изгнания на Полотняном Заводе — "Носи по мне траур два года. Постарайся, чтобы забыли про тебя. Потом выходи опять замуж, но не за пустозвона", — потом все то же, под верховным покровительством государя Николая I, не раз выражавшего желание, "чтобы Наталья Николаевна по-прежнему служила одним из лучших украшений его царских приемов. Одно из ее появлений превратилось в настоящий триумф".

Наталья Николаевна и Николай I — еще раз сошлись.

"Спящий в гробе мирно спи,
Жизни радуйся живущий".

Так бы и "радовалась" — до старости, если бы, семь лет спустя после смерти Пушкина, не вышла замуж за Ланского, давшего ей — неисповедимы пути Господни! — то, чего не мог дать — раз не дал! — Пушкин: человеческую душу.

Здесь кончается Гончарова — Елена, Гончарова — пустое место, Гончарова — богиня, и начинается другая Гончарова: Гончарова — жена, Гончарова — мать, Гончарова — любящая, новая Гончарова, которая, может быть, и полюбила бы Пушкина.

Ну, а вне Пушкина, Дантеса, Ланского? Сама по себе? Не было. Наталья Гончарова вся в житейской биографии, фактах (другой вопрос — каких), как Елена Троянская вся в борьбе ахейцев и данайцев. Елены Троянской — вне невольно вызванных ею — тем — претерпенных ею событий просто нету. Пустое место между сцепившихся ладоней действия. Разведите — воздух.

Вот Наталья Гончарова — та.

Наша:

Молодая девушка, чудом труда и дара, внезапно оказывается во главе российской живописи. Затем... Затем все то же. Никаких фактов, кроме актов. Чисто-мужская биография, творца через творение, вся в действии, вне претерпевания. Что обратное Наталье Гончаровой — той? Наталья Гончарова — эта. Ибо обратное красавице не чудовище ("la belle et la bête"[1]), как в первую секунду может показаться, а — сущность, личность, печать. Ведь если *и* красавица — *не* красавица, красавица — только красавица.

"J'aurais dû devenir très belle, mais les longues veilles, le peu de soins que je donnais à ma beauté..." (George Sand, "Histoire de ma vie...")[2]

И еще — беру наугад: "Она происходила из московского купеческого рода Колобовых и была взята в замужество в дворянский род не за богатство, а за красоту. Но лучшие ее свойства были — душевная красота и светлый разум, в котором..." и т.д., и от красоты уже откатились, чтобы больше к ней не возвращаться. (Лесков о своей бабушке.) И — тысяча таких свидетельств. Так, многие красавицы рожденные красавицами не были — "Ne daigne"[3] красоте, как Наташа Ростова — уму, как многие — славе, как столькие — счастью! Чтобы быть красавицей — счастливицей — нужно, если не: этого хотеть, то во всяком случае этому не противиться. Всякое отклонение — сопротивление.

---

[1] Красавица и чудовище (*франц.*).

[2] Я должна была бы стать весьма красивой, но продолжительные бдения и недостаточный уход за собой... (*Жорж Санд*, "История моей жизни") (*франц.*).

[3] Не снисхожу (*франц.*).

Так по какой же примете сравниваю двух Гончаровых? Неужели только из-за одинакости имен и родства — даже не прямого? С моей стороны — не легкомыслие ли, а для Гончаровой — нашей — не оскорбление ли? Эту весомость — с тем ничтожеством? Это всё — с тем ничто? Словом, родись Наталья Гончарова — наша — в другой семье и зовись она не Наталья и не Гончарова, — сравнила бы я ее с Натальей Гончаровой — той? Нет, конечно. Стало быть, все дело в именах?

Дело в роде Гончаровых, давшем России одну Гончарову, *взявшую*, другую — *давшую*. Одну — Россию омрачившую, другую — возвеселившую. Ибо творчество Натальи Гончаровой — чистое веселье, *слава* в самом чистом смысле слова, как солнца — слава. Красавица Россию, в лице Пушкина, каждым острием своих длинных ресниц, проглядела, труженица Россию, каждым своим мазком и штрихом, — явила. Ибо гончаровские "Испанки" такая же Россия, как пушкинский "Скупой рыцарь", полное явление русского гения, все присваивающего. (К этой перекличке Гончаровой с Пушкиным я еще вернусь.) Не прямая правнучка (— брата Н.Н. Гончаровой). Так и возмещение ее — боковое ответвление. Поэт. Художник. Но корень один: русский гений.

Через голову красавицы, между Пушкиным и художником — прямая связь. Полотняный Завод, где пушкинскими стихами исписаны стены беседки. И не думающая об этом в данную минуту — Гончарова. "Там я много работала... Если бы Вы знали, что такое Полотняный Завод — та жизнь! Нигде, нигде на свете, ни до, ни после, я не чувствовала — такого счастья, не о себе говорю, в воздухе — счастья, счастливости самого воздуха! Вечный праздник и вечная праздность, — все располагало: лестницы, аллеи, пруды... С утра пенье, а я с утра — дверь на крюк. Что бы там ни пелось — дверь на крюк. Потому что иначе нельзя: не сейчас — так никогда. Ну, успею переодеться к обеду — переодеваюсь, а то так, в рабочем балахоне..."

"Что бы там ни пелось..." Как Одиссей, связавший себя от сирен — дверь на крюк. Крюк! Гарантия не только от входов, но и от выходов, — *самозапрет*.

А вот пушкинское свидетельство, которого, знаю, не знает Гончарова:

"...Одним могли рассердить его не на шутку. Он требовал, чтобы никто не входил в его кабинет от часа до трех; это время он проводил за письменным столом или ходил по комнате, обдумывая свои творения, и встречал далеко не гостеприимно того, кто стучался в его дверь".

(С.Н. Гончаров, брат Н.Н. Гончаровой.)[1]

И еще одно:

"Однажды Пушкин работал в кабинете; по-видимому, он всецело был поглощен своей работой, как вдруг резкий стук в соседней столовой заставил его вскочить. Насильственно отторгнутый от интересной работы, он выбежал в столовую сильно рассерженный. Тут он увидел виновника шума, маленького казачка, который рассыпал ножи, накрывая на стол. Вероятно, вид взбешенного Пушкина испугал мальчика, и он, спасаясь от него, юркнул под стол. Это так рассмешило Пушкина, что он громко расхохотался и тотчас покойно вернулся к своей работе".

(А.В. Середин. "Пушкин и Полотняный Завод". По записи Д.Д. Гончарова.)

В промежутке — вышивающая, зевающая, изнывающая Наталья Гончарова — та.

Пушкин "Царя Салтана" слышит (начало стиха — звук), Гончарова "Царя Салтана" видит (начало штриха — взгляд). Оба являют. В промежутке гончаровское "Читайте, читайте, я не слушаю". Промежуток зевка. (Что зевок, как не признание в отсутствии — меня нет.)

— "А вот Игорь для немецкого издания". Смотрю (речь впереди) и первая мысль: Пушкин против Каченовского утверждающий подлинность Игоря.

---

[1] Прадед Н.С. Гончаровой (*Примеч. М.И. Цветаевой*).

— А вот иллюстрации к царю Салтану...

Смотрю (речь впереди), и не мысль уже, а молния:

— Если бы Пушкин...

«МОЯ РОДОСЛОВНАЯ»

Обман зрения всей России, видевшей — от арапской крови, "Арапа Петра Великого" и "Цыган" — Пушкина черным. (*Правильный обман.*) Был рус. Но что руководило стариком, никогда не читавшим Пушкина? А вот: "В те дни сложилось предание, что Пушкин ведается с нечистою силою, оттого и писал он так хорошо, а писал он когтем". (Воспоминания одного из современников.) Старик Пушкина черным и страшным видел *от страха*.

И — живой голос Пушкина с Полотняного Завода: "Жена моя прелесть, и чем доле я с ней живу, тем более люблю это милое, чистое и доброе создание, которого я ничем не заслужил перед Богом".

Конец августа 1834 года, а в феврале 1837 года "милое, чистое и доброе создание, ничем не заслуженное перед Богом" приезжает на тот же Полотняный Завод — вдовой. Здесь протекают первые два года ее вдовства, сначала в отчаянии (может быть — раскаянии?) — потом в грусти, — потом в скуке.

Смерть Пушкина, которую я, в иные часы, особенно любя его, охотно ее вижу в прелестном обличии Гончаровой, — Гончаровой прощания, например, поящей с ложечки, — чем в хохочущей образине Дантеса, смерть Пушкина вернулась к месту своего исхождения: на первом ткацком станке Абрама Гончара ткалась смерть Пушкина.

Еще одно, чтобы больше к этому не возвращаться — к тому, от чего оторваться нельзя! — какое счастье для России, что Пушкин убит рукой иностранца. — Своей не нашлось!

В лице Дантеса — пусть, шуана (потом — бонапартиста), Пушкин убит сыном страны Вольтера, тем смешком, так омрачившим его чудесный дар. Ведь два

126

подстрочника вдохновения Пушкина: няня Арина Родионовна и Вольтер. Няня Арина Родионовна (Россия) на своего выкормыша руки не подняла.

Больше скажу: Вольтер жил в нем, и в каком-то смысле (не женитьба на Гончаровой, — а... "Гавриилиады" хотя бы) в переводе на французский вернувшийся в свою колыбель; смерть Пушкина — рукой Дантеса — самоубийство. Дантес — ancien régime?[1] Да, Дантес, смеющийся в лицо умирающему, пуще, чем вольтерьянец, смеющийся в лицо только своей. ("Dieu me pardonnera, c'est son métier!")[2] (Гейне). Оскал Дантеса — вот расплата за собственный смешок.

"Es-tu content, Voltaire, et ton hideux sourire?.."[3]

И еще одно: все безвозвратно, и едва ли когда-нибудь мне придется еще — устно — вернуться к смерти Пушкина — какая страшная посмертная месть Дантесу! Дантес жил — Пушкин рос. Тот поднадзорный и дерзкий литератор, запоздалый камер-юнкер, низкорослый муж первой красавицы, им убитый, — превращался на его глазах в первого человека России, не "шел в гору", а в гору — вырастал. "Дело прошлое", — так начал Соболевский свой вопрос — в упор — Дантесу (на который солгал или нет — Дантес?) В том-то и дело, что делу этому никогда не суждено было стать прошлым. Дантесу "освежала в памяти" Пушкина — вся Россия.

"Он уверял, что и не подозревал даже, на кого он подымает руку" (А.Ф. Онегин).

Тогда не подозревал, потом — прозрел.

Убийца в нем рос по мере того, как вырастал — вовне — убитый. Дорос ли Дантес до простого признания факта? Кто скажет? Во всяком случае, далеко от кавалергардского смеха до — последнего, что мы знаем о нем, — стариковского:

---

[1] Здесь: представитель "прежнего времени" *(франц.)*.

[2] Бог меня простит, это его ремесло *(франц.)*.

[3] Доволен ли ты, Вольтер, и твоя отвратительная улыбка? *(франц.)*.

"Le diable s'en est mêlé![1]

Первый, о ком слышно, — Абрам Гончар. Абрам Гончар первый пускает в ход широкий станок для парусов. А России нужны паруса, ибо правит Петр. Сотрудник Петра. Петр бывает в доме. Несколько красоток дочерей. Говорят, что в одну, с одной... Упоминаю, но не настаиваю. Но также не могу не упомянуть, что в одном позднем женском — (гончаровской бабушки) — лице лицо Петра отразилось, как в зеркале. Первый, о ком слышно, изобретатель, умница, человек, шагавший с временем, которое тогда шагало шагом Петра. Современник будущего — вот Абрам Гончар. Первый русский парус — его парус.

Абрамом Гончаром основан в 1712 г. первый полотняный завод, ставший впоследствии селом, потом и городком того же имени.

"Полотняный Завод" имение Гончаровых в Медынском уезде, Калужской губ., где жил Пушкин после своей женитьбы. Тут когда-то был полотняный завод, которого ныне нет и следа. Обширное торговое и промышленное село, торговое, своею деятельностью и базаром, оно издавна служило значительным торговым центром на довольно большом расстоянии. Здесь писчебумажная фабрика Гончаровых. Местоположение Полотняного Завода прелестно. Помещичья усадьба, с великолепным старинным господским домом, на самом берегу реки. Не так далеко от него стоял на берегу реки деревянный флигель, слывущий до сих пор в народе под названием дома Пушкина. В нем поэт постоянно жил после своего брака, приезжая гостить к Гончаровым. Внутренние стены этого строения, имеющие вид маленького помещичьего дома, были исписаны Пушкиным; теперь от этого не осталось и следа".

(В.П. Безобразов — Я.К. Гроту,
17 мая 1880 г.)

Запись, отстоящая от смерти Пушкина на те же

---

[1] Нечистый попутал (*франц.*).

пятьдесят лет, что и от нас. (Кстати, я, пишущая эти строки и рожденная в 1892-м году, еще застала сына Пушкина, почетного опекуна, бывавшего в доме у моего отца — Трехпрудный переулок, д. № 8, соседнем дому Гончаровых. Сын Пушкина, несомненно, встречал в переулке свою двоюродную внучку.)

Та же я, в 1911 году в Гурзуфе, знала столетнюю татарку, помнившую Пушкина. "Я тогда молодая была, двенадцать лет было. Веселый был, хороший был, на лодке кататься любил, девушек любил, орехи, конфеты дарил. А волосы..." — и трель столетних пальцев в воздухе.

На Полотняном Заводе, проездом в Крым, останавливалась Екатерина. Там же стоял и Кутузов.

Полотняный Завод. Громадный красивый сад, ныне торг и пустырь. Пруды уцелели. Красный дом — пушкинский, собственно, — исчез почти совершенно. Большой дом, "дворец Гончаровых", цел до наших, 1929 года, дней. Девяносто комнат. Башни, вроде генуэзских.

Красный сад, красный дом. В русском слове красный — мне всегда слышится страшный, и первая ассоциация — пожар! (Читаю, уже по написании, сыну сказку. Солдат мужику: "Что такое красота?" — "Хлеб — красота". Тот бац его по щеке: "Огонь — красота!" — Перекличка.)

Пушкин на Полотняном Заводе был дважды: в первый раз еще женихом, и жил тогда в красном доме. Во второй раз — поздней осенью 1834 года. "Еще недавно один из оставшихся стариков, бывший крепостной художник, говаривал так: "еще бы не знать Пушкина; бывало, сидят они на балконе в красном доме, а мы детьми около бегаем. Черный такой был, конопатый, страшный из себя".

Дворянство Гончаровы получают при Екатерине, в 1780 году, точно нарочно, чтобы дать Пушкину "жениться на благородной" Кстати, вся mentalité[1] семьи

---

[1] Строй мыслей (*франц.*).

Гончаровых, особенно матери (исключение Сергей Николаевич Гончаров, прадед нашей) — определенно купеческая. В лице Натальи Ивановны Гончаровой Пушкину дана была самая настоящая теща. — В их герб вошли все элементы масонских знаков: серебряный, с золотой рукоятью, меч, пятиугольная звезда, а сверху, вместо щита, полукруглый фартучек — принадлежность посвящения в вольные каменщики.

Среди предков Натальи Сергеевны есть и музыканты (любители) и художники (любители). Не забыть мужененавистницы на качелях, впоследствии вольнодумки и одиночки. В ней-то и отразился лик Петра. Кровь русская, с примесью татарской (Чебышевы). Мать из духовного звания (Беляева), отец — архитектор, выдающийся математик.

Так, от Абрама Гончарова с *его* станком, до Гончаровой нашей с ее станком[1] — труд, труд и труд. В этом роду бездельников не было.

Гончарова — наша — потомок по мужской линии.

ПЕРВАЯ ГОНЧАРОВА

— "Я одно любила — делать". Вот во всей скромности и непосредственности предельное признание — в призвании.

Есть дети с даром занятости, есть — с жаждой ее. "Дай мне чем-нибудь заняться, мне скучно", из такого ребенка — ясно, что выйдет, ибо собственной занятости ищет извне. Пустая рука, пустое нутро будущего прожигателя и пожирателя, для которого та же Гончарова — только поставщик. Рука — спрут, нутро — прорва. Жест — грабель и спрута. Движение Гончаровой — девочки *от* дела: даяние, творение, явление. Жест дела. Жест дара. (И удара!)

Посмотрим по этой линии деланья ее дальнейшую

---

[1] Мольберт, по-русски, станок. *Станковая* живопись, в противовес декоративной. (*Примеч. М.И. Цветаевой.*)

жизнь. В гимназическом классе рисования ничем не выделяется — разве непосильностью задач, недоступностью выбираемых образцов. (В те времена рисовать — срисовывать.) Гимназию, на самом краю золотой медали (не честолюбие, не любовь к наукам, не способности, — трудоспособность, нет: трудострасть!) кончает семнадцати лет. После гимназии — в Школу Живописи и Ваяния? Нет, сначала медицинские курсы. Три дня, положим, но шаг — был. В чем дело? В непосредственном деле рук: руками делать. Есть у немцев такое определение юности: "Irrjahre"[1] (irren — и заблуждаться, и блуждать). Только у Гончаровой они не годы — год — даже меньше. Три дня медицинских курсов (не анатомический театр, а мужеподобность медичек, не обоняние, душа не вынесла) — и полугодие Высших женских курсов (Историко-филологический факультет). Если медицина еще объясняется понятием рукомесла, то Историко-филологическому факультету, и дальшему ей по сущности и дольше затянувшемуся, объяснение стороннее: подруга, с которой не хотелось расставаться. Нужно ведь очень вырасти, чтобы не идти за любимым вслед. Но экзамены подходят, и Гончарова сбегает. На этот раз почти домой: на скульптурное отделение Школы Живописи и Ваяния. Почему же все-таки не на живописное? Да потому, что — вспомним возраст и склад героини! — скульптура больше дело, физически больше — дело. Больше тело дела, чем живопись — только касание. Там касание, здесь проникновение руки в материал, в плоть вещества. (Не знала тогда Гончарова, что когда-то будет возглавлять плоскостную живопись, в противовес — глубинной.) — Боковое ответвление дарования в данную минуту более соответствует всей сути, чем ствол.

"Я думаю, в этом была просто безграничная потребность в деятельности. Была минута, когда я могла стать архитектором". Этого критик, коривший ее за "не-картины, а соборы", не знал. Очевидно, в каком-то смысле зодчим — стала.

---

[1] Годы исканий (нем.).

Чем же знаменуется пребывание Гончаровой в скульптурном классе? Устроением ею, будущей Гончаровой, красок, чисто скульптурной выставки, первой в стенах школы. Все это пока еще — дар труда, ибо сам дар, следовательно, и труд дара, еще не открыт. Дальше — золотая медаль и встреча с Ларионовым.

Говорить о Гончаровой, не говоря о Ларионове, невозможно. Во-первых, и в-главных: Ларионов был первый, кто сказал Гончаровой, что она живописец, первый раскрывший ей глаза — не на природу, которую она видела, а на эти же ее собственные глаза. "У вас глаза на цвет, а вы заняты формой. Раскройте глаза на собственные глаза!"

Поздняя осень, ранние заморозки, Петровский парк, красные листья, седая земля. Дома — неудачная схватка с красками."Целый мир, с которым не знаю, как схватиться (сочтя за обмолвку) — как охватить..." Нет, поправлять не надо, никакого охвата, а именно схватка, не на жизнь, а на смерть, кто кого. "Я вдруг поняла, что то, чего мне не хватает в скульптуре, есть в живописи... есть — живопись". Дни идут, может быть, недели (не месяцы). Ничего не выходит. "Какие-то ужасные вещи, о которых я только потом понял, как они прекрасны" (Ларионов). (Показательно: первые вещи Гончаровой гораздо ближе к нынешним, чем непосредственно следовавшие. Ребенок и мастер сошлись.) И вот — разминка, размолвка двух художников, три дня не видящихся, — не забудем, как это много в начале дружбы и жизни. — "Прихожу — вся стена в чудесах. Кто это делал?" "— Я..." С тех пор — пошло. Магических три дня, когда, никого не ожидая, ни на что не рассчитывая, от огорчения, от злобы — сердце сорвать! — Гончарова, сразу, как по заказу, поняв, в чем дело, сразу, как по заказу, заполняет целую стену первой собой. (Другая бы сидела и плакала.) Дружбе обязана осознанием себя живописцем, ссоре — первым живописным делом.

Говорить о Гончаровой, не говоря о Ларионове, невозможно еще и потому, что они с восемнадцати лет ее и с восемнадцати лет его, с тридцати шести своих совместных лет, вот уже двадцать пять лет как работают бок о бок, и еще двадцать пять проработают.

Чтобы покончить со скульптурой — Гончарова еще раз с ней встретилась. В — каком? — году (несущественность для Гончаровой хронологии, почти нет дат), совсем молодая еще Гончарова едет на Юг, в Тирасполь, на сельскохозяйственную выставку, расписывать плакаты. (Здание выставки строил отец.) "Нужны были какие-то породистые скоты. Скоты, по мнению заказчика, не сходились с пейзажем. А главное, не сошлись в оценке породистости. Я хотела выразительных и тощих, заказчик требовал упитанных. Вместо коров капители" (ионические, к колоннам здания).

Первая поездка Гончаровой на Юг. Первый Юг первой Гончаровой. Сухой юг, не приморский, предморский. Степь. Днестр. Бахчи. Душистые травы. Шалфей, полынь, чебрец. "Типы евреев, таких непохожих на наших, таких испанских. Глядя на своих испанок, я их потом узнала".

Непосредственным отзвуком этой первой поездки — акации, заборы с большими птицами, — не Москва. О, как навострилось мое ухо от акаций и птиц! И непередаваема интонация, с которой она, москвичка, подмосковка, тульчанка, это выводила — не Москва. Какая утоленная жажда северянина! Гончарова — как ни странно — зимы никогда не любила и, проживая до двенадцати лет в деревне, ни одной зимы не помнит. "Была же, и гулять, нужно думать, водили, — ничего". Зиму она претерпевала, как Прозерпина — Аид.

О роли лета и зимы в творчестве Гончаровой. Лето для нее накопление не материала, а навыка, опыта. Лето — приход, зима — расход. Летом ее живопись живет, ест и пьет, зимой работает. Зима — Москва. Московские работы все большие, по замыслу, лето — зарисовки. Природа и жизнь на лету. Еще одно о гончаровском лете — в такой жизни частностей нет. "Мы с Ларионовым как встретились, так и не расставались. Много — месяц, два... По летам разъезжались, он к себе, в деревню, я по России".

Бытовые причины? Да, все они, как льготные условия гончаровской мастерской, — лишь прикрытие иных. Рогожка: все тело сквозит! Гончарова и Ларионов, никогда не расстающиеся, по летам разъезжаются потому, что лето — добыча, а на добычу — врозь. Чтобы было потом чем делиться. "Никогда в жизни", и в голосовую строчку: "по летам расставались". Да, ибо лето не жизнь, вне жизни, не в счет, только и в счет. Так, как ни странно: отшельничают вместе, кочевничают врозь.

А вот второй Юг Гончаровой — морской. Первое ее мне слово о море было: "очарование"... "Да, именно очарование". И в ответ мое узнавание: где? когда? у кого? Вот так, вместе: море и очарование. Ведь ушами слышала! И в ответ, именно ушами слышанное, — ведь с семи лет говорила наизусть:

> Ты ждал, ты звал, я был окован,
> Вотще рвалась душа моя!
> Могучей страстью очарован,
> У берегов остался я.

Странность детского восприятия. Семи лет я, конечно, не знала, кому и о чем, только знала: Хрестоматия Покровского — Пушкин — К морю. Следовательно, все написанное относится к морю и от него исходит. Ты ждал, ты звал, я был окован (морем, конечно), вотще (которое я, не понимая, произносила как *туда*, то есть к тебе (к морю) рвалась душа моя. Могучей страстью (то есть, опять-таки, морем) очарован, у берегов остался я. Остался потому, что ты слишком звал, а я слишком ждал. Зачарованность до столбняка. Столбняк любви.

И вдруг Гончарова со своим очарованием. Еще одно соответствие. В чем гениальность пушкинского четверостишия? В непредвиденности словоряда третьей строки. *Могучей страстью*, да еще очарован. Зачарованность мощью. Непредвиденность эпитета могучей и страсти и непредвиденность понятия очарованности мощью. (Непредвиден не только словоряд, но и смыслоряд.) Страсть: жаркая, неистовая, роковая и пр., и пр., ни у кого: могучая. Очарованность — красотой, грацией, слабостью, никогда: мощью. (Показательная обмолвка: Пушкин очарован не данной женщиной, "могучей страстью" — безымянным. Усложненный и тем — нередкий случай — уточненный образ. Усложненный тем, что первичное, женщину, он заменил вторичным: своим чувством к ней (переведя на слова: "Деву", конкретность, "страстью", отвлеченностью; очарованность страстью — отвлеченность на отвлеченность); уточненный тем, что ни один поэт ни ради ни одной женщины не оставался на берегу, и *каждый* (если у поэта есть множественное) — из-за собственного чувства — хотя бы к ней. Морю он противуставляет страсть, по тогдашним (и всегдашним!) понятиям — морей морейшее. Противупоставь он морю — "деву", мы бы Пушкина жалели — или презирали.)

И то же, точь-в-точь то же, Гончарова со своей настойчивой очарованностью морем (громадой). Поражена, потрясена, — нет, именно очарована.

Пушкинское море: Черное, Одесса, Ялта, Севастополь. — "Когда? Не помню. Поездки не включаются ни в какой год". (Так я, в конце концов, и отказалась от дат.) — "Графская пристань, Вы, может быть, помните? Мальчики ныряли за гривенниками..." Вода, серебряная от мальчиков, мальчики, серебряные от воды, серебряные мальчики за серебряными гривенниками. Море и тело. Море, тело и серебро. — "У меня уже в Москве было море, хотя я его еще никогда не видела. Много писала. А когда увидела: так же дома, как в Тульской губернии, те же волны — ветер — и шум тот же. Та же степь. Там волны — и здесь волны. Там — конца нет, здесь — краю нет..."

> Мужайся, корабельщик юный,
> Вперед, в лазоревую рожь.

Вот Гончарова, никогда стихов не писавшая, в стихах не жившая, поймет, потому что глядела и видела, а глядевшие и не видевшие, а главное, не любившие (любить — видеть): "современные стихи... уж и рожь пошла лазоревая. Завтра лазурь пойдет ржаная..."

Давно — пойдет.

— Пушкин бы понял.

"Из орнаментов особенно любила виноград, я его тоже тогда еще никогда не видела". Кто это говорит — одна Гончарова или весь русский народ с его сказками и хороводами:

"Розан мой алый, виноград зеленый!"

И Гончарова, точно угадав мою мысль: "Странно. Из всего стапятидесятимиллионного народа навряд ли десять тысяч видели виноград, а все о нем поют". К слову. Есть у Гончаровой картина — сбор винограда, где каждая виноградина с доброе колесо. Знает ли Гончарова русскую сказку, где каждая виноградина с доброе колесо? Сомневаюсь, ей сказок знать не надо, они все в ней. Когда-то кто-то что-то слухом слышавший, от жажды, от тоски стал врать друзьям и родным, что есть, де, такая земля, сам там был (был в соседнем селе), где каждая виноградина с доброе колесо. ("Сам там был, мед-пиво пил, по усам текло, а в рот не попало", — *оттуда* присказка!) Та же Гончарова, от жажды, от тоски усаживающая своего сборщика на трехпудовую виноградину. "Я тогда еще никогда не видала растущего винограда. Ела — да, но разве одно: из фунтика или живой?"

ПРИТЧА

...Впрочем, у меня и в Москве был виноград — не о вещах говорю, живой. Ели виноград, уронили зернышко, два зернышка. Зернышки проросли, завили все окно. Усики, побеги. Виноград на нем, конечно, не рос, но уж очень хорош сам лист! Зимой сох, весной завивал всю стену. Рос он в маминой комнате...

Когда я это слушала, я сказала себе: притча. И сейчас настаиваю, хотя в точности не знаю, почему. Притча. Подобие, иносказание. Через что-нибудь очень простое дать очень большое; очень бытовое — вечное. *Иными* словами: ели и выбросили, упало и проросло. Упавшее проросло, выброшенное — украсило, возвеселило. А может быть, еще и звук слова виноград, ягода виноград — евангельская.

Мне очень жаль расставаться с этим воспоминанием, особенно с "рос он в маминой комнате" — для печати, но Гончарова сама этого никогда не запишет, *только* напишет, — и никто не будет знать, что это *тот* виноград. Моя запись подстрочник к тому винограду.

Есть вещи, которые люди должны делать за нас, те самые, которые нам дано делать только за других. Любить нас.

Странное у меня чувство к первой Гончаровой, точно она ничего не познает, все узнает. Вот пример. Рассказывает она мне об одной своей вещи, корабле с красным парусом. "А ведь красные бывают, — сказала я, — я видела с красными. В Вандее, в рыбацком поселке, по утрам все море горит". — А я не видала, только рыжие видела. Вот черные — видела. — "Черные? Да этого быть не может, этого просто нет. Кто же выедет — с черным парусом?" — Значит, я их выдумала. — "Не совсем. (Черный парус Тезея, черный парус Тристана, знаю: не знает обоих.) — Вы их *издалека* увидели".

Этого уже не объяснишь Гончаровой — Русью. Или же: у Руси глаза велики.

"ВНЕШНИЕ СОБЫТИЯ"

"Внешняя жизнь Гончаровой так бедна, так бедна событиями, что даже и не знаешь, какие назвать, кроме дня рождения выставок".

Кажется — самое простое, общее место. И кажется, сердиться бы не на что. Но — таинственность общих мест. И — есть на что.

Во-первых, неверность фактическая. Что такое жизнь, богатая событиями? Путешествия? Они были. Если не за границу (за одну границу), то по всему за край свету — России. Встречи с людьми? С лучшими своего времени, с верховодами его. Американского наследства — не было. Выигрыша в 200 тысяч — тоже не было. Остальное было — всё. Как у каждого, следовательно — помножив на творческий множитель — неизмеримо больше, чем у каждого.

Второе — что такое внешнее событие? Либо оно до меня доходит, тогда оно внутреннее. Либо оно до меня не доходит (как шум, которого не слышу), тогда его просто нет, точнее, меня в нем нет, как я вне его, так оно извне меня. Чисто-внешнее событие — мое отсутствие. Все, что мое присутствие, — событие внутреннее. Событие, которое меня касается, просто не успевает быть внешним, уже становится внутренним, мною. О каких же тогда внешних событиях говорит биограф? Если о внешних событиях — поводах, о внешних — внутренних, куда же он девал все 800 холстов Гончаровой, являющихся — тем или иным, но — ответом на внешнюю жизнь. Если же о внешних — внешних, недошедших (как шум, которого не слышу), оставшихся извне меня, несбывшихся, то не прозвучит ли его фраза так: "Жизнь Гончаровой удивительно бедна отсутствиями..." С чем и соглашусь.

"Жизнь Гончаровой так бедна, так бедна". Это ему со стороны бедна, потому что смотрит со стороны, извне себя, а не изнутри Гончаровой. Для него бы и та степь была бедна, у нее с той степи — Апостолы. Жизнь Гончаровой была бы бедна, если бы Гончарова была паралитиком или всю жизнь просидела в тюрьме (задумчивое замечание Гончаровой, которой я это говорю: "Да и то..."). Пока Гончарова с глазами и с рукой — видит и водит, — Гончарова *богата*, как и где бы ни жила.

"Внешняя жизнь Гончаровой так бедна, так бедна..." А всего только одно слово изъять, и было бы правдой. Третье. Имя. Не гончаровская внешняя жизнь бедна, ибо у нее, для нее нет такой, а сама внешняя жизнь — без Гончаровой: души, ума, глаза. Присутствие Гончаровой (собирательное) во внешней жизни и фразе — гарантия богатства жизни и бессмысленности фразы.

138

Внешняя жизнь — есть. Только не у Гончаровой. Внешняя жизнь у всех пожирателей, прожигателей, жрущих, жгущих и ждущих. Чего? Да наполнения собственной прорвы, тех самых "внешних событий", тогда как Гончарова, не ждущая, спокойно превращает их в повод к собственному содержанию.

Повод к самой себе — вот внешние события для Н. Гончаровой. *Содержание* самого себя — вот внешние события — хотя бы для ее биографа. Банкроты отродясь. Примета пустоты — за событиями гнаться, примета *Гончаровых* — внешние события гнать. Да, ибо, неизбежно становясь внутренними, отвлекают, мешают в работе. И — кажется, главное найдено: внешнее событие — лишнее событие. Говорят об охране труда. Я скажу о самоохране труда. Об отборе внутренних событий, работе, если не впрок, то во вред. Рабочая единица не день, не час, а миг. Равно, как живописная единица не *пласт*, а мазок. Взмах данного мазка. Миг данного взмаха. *Данного* и мною данным быть имеющего. *Ответственность* — вот "бедность" "внешней жизни" Гончаровой, радость, называемая аскетизмом, мертвая хватка в вещь, называемая отказом.

И еще одно, о чем не подумал биограф.

Есть люди — сами события. Дробление события самой Натальи Гончаровой на события. Единственное событие Натальи Гончаровой — ее становление. Событие нескончаемое. Не сбывшееся и сбыться не имеющее — никогда. (Так же верно будет: родилась: сбылась.) Скандал "Ослиного хвоста" или виноградное зернышко, завившее всю стену, — через все Гончарова растет.

Биограф, не сомневаюсь, Гончаровой хотел польстить. Из ничего, мол, делает все. Да для Гончаровой ведь нет "ничего", пустой звук, даже и звук не пустой, раз — звук. Не понял биограф, что, допустив хоть на секунду возможность для Гончаровой "ничего", — ничего от нее не оставил, уничтожил ее всю. Возможность увидеть жизнь внешней — вот единственная возможность жизни грешной[1]. Возможность не ощутить ничего — вот единственная возможность ничего, ибо ощутить *ничего* (небытие) — это опять-таки ощутить: быть.

(Все из себя дающий есть все в себя берущий: *отдающий*. Все — только из всего.)

Возможность *не* — то, чего заведомо лишена Гончарова.

РУССКИЕ РАБОТЫ

Жизнь Гончаровой естественно распадается на две части: Россия и После-России. Не Россия и эмиграция. Как любимое дитя природы и своего народа, этой трагической противуестественности (живьем изъятости из живых) избежала. Первая Европа Гончаровой, с возвратом, в 1914 г. Вторая, затяжная, в 1915 г. Выехала в июне 1915 г., в войну, по вольной воле. Второе счастье Гончаровой — как в этой жизни виден перст! — счастье, которого лишены почти все мы: жадное ознакомление с Россией в свое время, пока еще можно было, и явное предпочтение ее, тогда, Западу (большой деревни России — большому городу Западу). "Перед смертью не надышишься". Точно знала. "Жаль, конечно, что не была на самом севере, но просто не успела, я ведь тогда ездила только по необходимостям работы". Какое отсутствие произвола, каприза, туризма. Какой покой. Какая насущность жеста в кассу, шага в вагон. *Работа* — вот судьба Натальи Гончаровой, судьба, которую Пушкин — кому? чему? — но дозволил же заменить — подменить — Гончаровой — той.

Гончарова России и Гончарова После-России. Мне такое деление кажется самым простым, самым естественным — сама жизнь. Ибо как делить — если делить? Недаром Гончарова свою жизнь считает по поездкам.

---

[1] Сознание греха создает факт греха, не обратно. В стране бессовестных грешников нет. (*Примеч. М.И. Цветаевой.*)

Там, где нет катастрофы, — а ее в творчестве Гончаровой нет, — есть рост во всей его постепенности, как дерево, как счастливое дитя растет, — нужно брать пограничным столбом — просто пограничный столб. Пограничный столб — не малость.

Жизнь первой Гончаровой протекает в трех местах: Москва, Средняя Россия, Юг России. Как и чем откликнулась? Проследим по вещам. Москва есть, но Москва деревенская: московский дворик, переулочек, светелка в мезонине, московский загород. Не видав других, Москву считала городом; город же возненавидела, как увидела, а увидела Москву. Вспомним завитки и тульскую орфографию. "Где между камнями травка — там хорошо, а еще лучше совсем без камней". Кроме того, Москва для нее зима, а зиму она ненавидит, как тот же камень, не дающий расти траве. Таково сочувствие Гончаровой-подростка траве, что она, видя ее под камнем, сама задыхается.

О *деревенскости* Гончаровой. Когда я говорю деревенская, я, естественно, включаю сюда и помещичья, беру весь тот вольный разлив: весны, тоски, пашен, рек, работ, — все то разливанное море песни. Деревенское не как класс, а как склад, меньше идущее от избы, чем от степи, идущей в избу, заливающей, смывающей ее. Любопытное совпадение. Русские крестьяне и поныне номады. — Сна. Нынче в сенях, завтра в клети, послезавтра на сеновале. Жарко — на двор, холодно — на печь. — Кочуют. — Гончарова со своей складной (последнее слово техники!) кроватью, внезапно выкатывающейся из-под стола, — сегодня из-под стола, а завтра из-за станка, со своей легкостью перемещения — со своей неоседлостью сна, явный номад, явный крестьянин. А по первичному — привычному — жесту, которым она быстро составляет мешающий предмет, будь то книга, тарелка, шляпа, — на пол, без всякого презрения к вещи или к полу, как на самое естественное ее место (первый пол — земля) — по ненасущности для нее стола (кроме рабочего: козел) и стула (перед столом стоит) — по страсти к огню, к очагу — живому огню! красному очагу! — по ненужности ей слуг, по достаточности рук (мастер, подмастерье, уборщик — у Гончаровой две руки: свои), по всему этому и по всему другому многому Гончарова — явная деревня и явный Восток, от которого у нее, кстати, и скулы.

...И вне всяких формул, задумчиво: "Всю жизнь любила деревню, а живу в городе..." и: "Хотела на Восток, попала на Запад..." Гончарова для меня сокровище, потому что ни в жизни, ни в живописи себе цены не знает. Посему для меня — *живая натура*, и живописец — я.

Чего больше всего в русских работах Гончаровой? Весны — той, весны всей. Проследим перечень вещей с 1903 г. по 1911 г. Весна... через четыре вещи — опять весна, еще через три еще весна. И так без конца. И даже слова другого не хочет знать. — Видели гончаровскую весну? — Которую? — Единственный ответ, и по отношению к Гончаровой, и по отношению к самой весне — вечную.

Гончарова растет в Тульской губернии, в Средней России, где, нужно думать, весна родилась. Ибо не весна — весна северная — *северная* весна, не весна — крымская — *крымская* весна, а тульская весна — просто весна. Ее неустанно и пишет Гончарова.

Что, вообще, пишет Гончарова в России? Весну, весну, весну, весну, весну. Осень, осень, осень, осень, лето, лето, зиму. Почему Гончарова не любит зимы, то есть, все любя, любит ее меньше всего? Да потому, что зима не цветет и (крестьянская) не работает.

Времена года в труде, времена года в радости.

Жатва. Пахота. Посев. Сбор яблок. Дровокол. Косари. Бабы с граблями. Посадка картофеля. Коробейники. Огородник — *крестьянские*. И переплетенные с ними (где Бог, где дед? где пахарь, где пророк?) *иконные*: Георгий, Варвара Великомученица, Иоанн Креститель (огненный, крылатый, в звериной шкуре), Алексей человек Божий, в белой рубахе, толстогубый, очень добрый, с длинной бородой, — кругом цветущая пустыня, его жизнь. Из крестьянских "Сбор винограда" и "Жатва" идут от Апокалипсиса. Маслом, величиной в стену мастерской.

К слову. Створчатость большинства гончаровских вещей, роднящая Гончарову с иконой и ею в личную живопись введенная первой, идет у нее не от иконы, а от малости храмины. Комната была мала, картина не умещалась, пришлось разбить на створки. Напрашивающийся вывод о благе "стесненных обстоятельств". Впрочем, "стесненность" — прелестная, отнюдь не курсисткина, а невестина, бело-зеленая, с зеленью моего тополя в окне. По зимам же белым-белая, от того же тополя в снегу. "В чужой двор окна прорубать воспрещалось. Прорубили и ждем: как — вы? Вы — ничего. В том окне была моя мастерская".

Начаты Евангелие и Библия, и мечта о них по сей день не брошена, но... "чтобы осуществить, нужно по крайней мере год ничего другого не делать, отказаться от всех заказов..." Если бы я была меценатом или страной, я бы непременно заказала Гончаровой *Библию*.

Кроме крестьянских и иконных — натюрморты. (К слову: в каталоге так и значится "мертвая натура", которую немцы гениально заменили "Stilleben" — жизнь про себя.) Писала — все. Старую шляпу, метлу, кочан капусты, когда *были* — цветы, когда были — плоды. В цикле "Подсолнухи" выжала из них все то масло, которое они могли дать. Кстати, и писаны маслом! (их собственным, золотым, лечебным, целебным — от печенки и трясовицы.) Много писала книг. Много писала бумагу — свертки.

Историйка.

Стояло у стены двенадцать больших холстов, совсем законченных, обернутых в бумагу. В тот день Ларионов принес домой иконочку — висела у кого-то в беседке, понравилась, подарили — Ильи Молниегромного. Вечером Гончарова, всегда осторожная, а нынче особенно, со свечой — московские особняки тех годов — что-то ищет у себя в мезонине. (Вижу руку, ограждающую не свечу, а все от свечи.) Сошла вниз. Прошел срок. Вдруг: дым, гарь. Взбегает: двенадцать горячих свитков! — Сгорели все. — "Ни одного из них не помню.

Только помню: солдат чистит лошадь". Так и пропали холсты. Так к Гончаровой в гости приходил Илья.

(Так одно в моем восприятии Гончарова с народом, что, случайно набредя глазами на непросохшую еще строчку: "пропали холсты" — видение холстов на зеленой лужайке, расстелили белить, солдат прошел и украл.)

Полотняный Завод — гончаровские полотна. Холсты для парусов — гончаровские холсты. Станок, наконец, и станок, наконец. Игра слов? Смыслов.

— Расскажите мне еще что-нибудь из первой себя, какое-нибудь *свое* событие, вроде Ильи, например, или тех серебряных мальчиков.

— Был один случай в Тульской губернии, но очень печальный, лучше не надо. Смерть одна...

— Да я не про личную жизнь — или что так принято называть, — не с людьми.

— Да это и не с людьми (интонация: "С людьми — что!"). С совенком случай. Ну вот, подстрелили совенка... Нет, лучше не надо.

— Вы его очень любили?

— Полюбила его, когда мне его принесли, раненого уже. Нет, не стану.

Весь — случай с совенком.

ЗАЩИТА ТВАРИ

— Почему в Евангелии совсем не говорится о животных?

— "Птицы небесные"...

— Да ведь "*как* птицы небесные", опять о человеке...

— А волы, которые дыханием согревали младенца?

— Этого в Евангелии не сказано, это уж мы...

— Ну, осел, наконец, на котором...

— И осел только способ передвижения. Нет, нет, в Евангелии звери явно обойдены, несправедливо обойдены. Чем человек выше, лучше, чище?..

Думаю, что никто из читающих эти строки такого

144

упрека Евангелию еще не слыхал. Разве что — от ребенка.

Неутешна и непереубедима.

...Двенадцать холстов сгорели, а один канул. Уже за границей Гончарова пишет для своей приятельницы икону Спасителя, большую, створчатую, вокруг евангелисты в виде зверей. Работает много месяцев. Дарит. Приятельница умирает. Икона остается мужу. Муж разоряется и продает. "Потом встретились, неловко спросить: кому? Может быть — скорее всего, в Америку. Где-нибудь да есть". — И Вы ничего не сделали, чтобы... — "Нет. Когда вещь пропадает, я никогда не ищу. Как-нибудь, да объявится. Да не все ли равно — если в Америку. Я в Америке никогда не буду". — Боитесь воды? — "И Америки. Вещей я много своих провожала. Заколачиваю ящик и знаю: навек". — Как в гроб на тот свет? — "Да и есть — тот свет. Ну, еще одного проводила".

Страх воды. Страсть к морю. Но в Америку не через море, а через океан, всю воду, всю бездну, все *понятие воды*. И, мнится мне, не только воды, а символа Америки — парохода боится, Титаника, с его коварством комфорта и устойчивости в устроенности. Водного Вавилона, Левиафана боится, который и есть пароход[1]. Старый страх, апокалипсический страх, крестьянский страх. — "Чтоб я — да на эдакой махине..." Лучше — доска, проще — две руки. Скромнее — вернее.

> "Смиренный парус рыбарей,
> Твоею прихотью хранимый,
> Скользит отважно среди зыбей,
> Но ты взыграл, неодолимый,
> И стая тонет кораблей!"

Океана в России не было, было море, мечта о нем.

---

[1] Уже по написании узнаю, что пароход Левиафан —.есть. (Имел честь отвозить Линдберга.) Остается поздравить крестного. (*Примеч. М.И. Цветаевой.*)

145

Любовь к морю, живому, земному, среди-земному, и любовь к океану — разное. Любовь к морю Гончаровой и русского народа есть продолженная любовь к земле — к землям за, к морю — заморью. Любовь к морю у русского народа есть любовь к новым *землям*. А здесь и этого утешения нет. Нью-Йорк (куда зовет ее слава) еще меньше земля, чем океан.

Ненависть крестьянского континента России к "месту пусту" — океану, ненависть крестьянина к безделью. Океан не цветет и не работает. А если и цветет (коралл, например), то мертвое цветение, вроде инея.

"Ей бы в Америку..." Как другие всегда лучше знают! Здесь уместно сказать о Гончаровой и ее имени. Гончарова со своим именем почти что незнакома. Живут врозь. Вернее, Гончарова работает, имя гуляет. Имя в заколоченных ящиках ездит за́ море (за то, за которым никогда не будет), имя гремит на выставках и красуется на столбцах газет, Гончарова сидит (вернее, стоит) дома и работает. Мне до тебя дела нет, ты само по себе, и я сама по себе. Как иные за именем гонятся, подгоняют его и, в конце концов, загоняют его, вернее, себя, насмерть, так Гончарова от себя имя — гонит. Не стой рядом, не толкай под локоть, не мешай. Есть холст. Тебя нету.

Если Гончарова когда-нибудь в Америку поедет, то не за именем вслед, а собственным вещам навстречу, и через — и не воду даже, а собственный страх. Перешагнет через собственный страх. И, не сомневаюсь, даст нам новую Америку. (Через Нью-Йорк, как через океан, нужно *перескочить*.)

Как же отразилось живое земное море с серебряными мальчиками в вещах Гончаровой? Как и следовало ожидать — косвенно. То, что я как-то сказала о поэте, можно сказать о каждом творчестве: угол падения не равен углу отражения. Так устроены творческий глаз и слух. Отразилось, но не прямо, не темой, не тем же. Не отразилось, а преобразилось. Морем не стало и не осталось, превратилось в собственное качество: морской (воздух, цвет, свет, чистота).

Море в взволнованной им Гончаровой отразилось как Гончарова в взволнованном нам — извилиной.

Что такое человеческое творчество? Ответный удар, больше ничего. Вещь в меня ударяет, а я отвечаю, *отдаряю*. Либо вещь меня спрашивает, я отвечаю. Либо перед ответом вещи, ставлю вопрос. Всегда диалог, поединок, схватка, борьба, взаимодействие. Вещь задает загадку. Ну — синее, ну — чистое, ну — соленое, — в чем тайна? Под кистью — ответ. Ответ или поиски ответа, третье, новое, возникшее из море и я. *Отраженный удар, а не вещь.*

Отражать — повторять. Мы можем только отобразить. Думающие же, что отражают, повторяют, пишут с ("ты шуми смирно, а я попишу"), только искажают до жуткой и мертвой неузнаваемости. Ибо, если ты хочешь дать *это* море, настоящее синее, соленое, точь-в-точь, как есть, — предположим, удалась синева — где же соль? Удалась соль (!), где же шум? Тогда я уже буду требовать с тебя, как с Бога. Море — и все качества! Никакого моря не хочу дать, не могу дать. Не дать, а отгадать, что за солью, синью, шумом. Беззащитность перед ударом (дара). Единственное, что хочу дать, — вещи ударить в себя и, устояв, отдать. Воздать.

Дар отдачи. Благодарность.

"Темы моря — нет, ни одного моря, кажется... Но — свет, но — цвет, но та — чистота..."

Морское, вот что взяла Гончарова от моря.

Что такое морское по отношению к морю? То, без чего вещь не была бы собой, обуславливающее ее, существенное — *роковое* — качество. Соль на соленость, море на морскость обречены, иначе их нет. Море по отношению к соли понятие усложненное, но безотносительно соли такое же единство, как соль. Ибо "морское" не сумма соли, синевы, чистоты, запаха и прочих свойств, а особое новое свойство, недробимое — хотелось бы сказать: сплошное "и прочее", все возможности моря (ограниченного) — безграничные.

И еще: обусловливающее вещь свойство больше самой вещи, шире ее, вечнее ее, единственная ее надежда на вечность. Морское больше, чем море, ибо морским может быть все и морское может быть всем. "Морское" — та дорога, по которой вещь выходит из себя, неустанно оставляя себя позади, неминуемо отражая.

— Перерастая. Морю никогда не угнаться за морским, если оно, отказавшись от только-моря, не перейдет в собственное роковое свойство. Тогда оно само у себя позади и само впереди. Выход, исход, уход, увод. По дороге собственного рокового свойства вещь уходит в мир, размыкается. Разомкнутый тупик самости. Это ведь разное — обреченность на себя, как таковое, и обреченность на свое, не имеющее пределов, знакомо-незнакомое, как поэтический дар для поэта. Не будь море морским и Бог божественным, море давно бы высохло, а Бог давно бы иссяк. И еще: божественное может быть без Бога, а Бог без божественного нет, Бога без божественного — нет. Божественное Бога включает, не называя, нужды не имея в имени, ибо не только его обусловливающее роковое свойство, но и его же выдыхание. Бог раз вздохнул свободно и получилось божественное, которое он прекратить не волен. (Свет с тех солнц идет не *x* лет, а вечно, заставляя солнца гореть.)

Обусловливающее вещь роковое свойство есть только следствие первого единственного вольного вздоха вещи, ее согласие на самое себя. Бог, раз быв божественным, обречен быть им всегда, то есть впредь, то есть на старом месте его нет, то есть на конце собственного дыхания, которому нет конца. Раз, по вольной воле, всем собой — обречен быть всем собой — век.

Полная, цельная, вольная, добрая моя воля *раз* — вот мой рок.

...Цветущая пустыня Алексея человека Божия веет морем. У весенней Великомученицы пена каймой одежд. По утрам на грядках Огородника не снежок, а сольца. Насыщенный морем раствор — вот Гончарова первого моря. Моги море не быть морским, оно бы от того первого взгляда Гончаровой стало пресным. Ребенок бы сказал: лизнуть картину — картина будет соленая.

Тема. Та ложная примета, по которой море уходит из рук. За ивовым плетением весны — всем голубым, зеленым, розовым, радужным, яблонным —

Ходит и дышит и блещет оно.

148

Сухой Юг отразился Еврейками (позже Испанками) и Апостолами.

Исконно-крестьянско-морское, таков состав первой Гончаровой. Тот же складень в три створки.

Икона, крестьянство, Заморье — Русь, Русь и Русь.

ПЕРВАЯ ЗАГРАНИЦА
И ПОСЛЕДНЯЯ РОССИЯ

В 1914 году (первая дата в моем живописании, единственная названная Гончаровой, явный рубеж) Гончарова впервые едет за границу. Везут с Ларионовым и Дягилевым пушкинско-гончаровско-римско-корсаковско-дягилевского "Золотого Петушка". Париж, помнишь? Но послушаем забывчивейшего из зрителей: победителя — саму Гончарову. "Декорация, танец, музыка, режиссура — все сошлось. Говорили, что — событие..." Если уж Гончарова, при ее небывалой беспамятности и скромности... Послушаем и одного из ее современников.

"Самый знаменитый из этих передовых художников — женщина: имя ее Наталья Гончарова. Она недавно выставила семьсот холстов, изображающих "свет", и несколько панно в сорок метров поверхности. Так как у нее очень маленькая мастерская, она пишет кусками, по́ памяти, и всю вещь целиком видит впервые только на выставке. Гончаровой нынче кланяется вся московская и петербургская молодежь. Но самое любопытное — ей подражают не только как художнику, но и ей внешне. Это она ввела в моду рубашку-платье, черную с белым, синюю с рыжим. Но это еще ничто. Она нарисовала себе цветы *на лице*. И вскоре знать и богема выехали на санях — с лошадьми, домами, слонами — на щеках, на шее, на лбу. Когда я спросил у этой художницы, почему она предварительно покрыла себе лицо слоем ультрамарина, —

— Смягчить черты, — был ответ.

— Дягилев, Вы первый шутник на свете! — сказал С.

— Но я говорю простую правду. Каждый день можно

встретить в Москве, на снегу, дам, у которых на лице вместо вуалеток скрещенные клинки или россыпь жемчугов. Что не мешает этой Гончаровой быть большим художником.

Метрдотель вносил крем из дичи с замороженным гарниром.

— Это ей я заказал декорации к "Золотому Петушку" Римского-Корсакова, которого даю этой весной в Опере, — прибавил Сергей Дягилев, отводя со лба завиток волос".

Сделка с совестью.

— Как, Гончарова, сама природа, — и...
— А дикари, только и делающие, не природа?
— Но Гончарова — не дикарь!
— И дикарь, и дичок. От дикаря в ней радость, от дичка робость. Радость, победившая робость, — вот личные цветы Гончаровой. Ведь можно и так сказать: Гончарова настолько любит цветы, что собственное лицо обратила в грунт. Грунт, грунтовка и, кажется, найдено: Гончарова сама себе холст!

Если бы Гончарова просто красила себе щеки, мне стало бы скучно. Так — мне весело, как ей и всем тогда. — Пересол молодости! — Гончарова не морщины закрашивала, а... розы! Не красила, а изукрашивала. Двадцать лет.

— Как вы себя чувствовали с изукрашенным лицом?
— По улицам слона водили... Сомнамбулой. Десять кинематографов трещат, толпа глядит, а я — сплю. Ведь это Ларионова идея была и, кажется, его же исполнение...

Не обманул меня — мой первый *отскок*!

После Парижа едет на остров Олерон, где пишет морские Евангелия. Островок Олерон. Сосны, пески, снасти, коричневые паруса, крылатые головные уборы рыбачек. Морские Евангелия Гончаровой, без ведома и воли ее, явно католические, с русскими почти что незнакомые. А всего месяце как из России. *Ответ на воздух.* Так, само католичество должно было стать природой, чтобы дойти и войти. С Олерона домой, в Москву, и вскоре вторая поездка, уже в год войны. Последний в России — заказ декораций к "Граду Китежу" и заказ росписи домовой церкви на Юге, — обе невыполненные. Так была уверена, что вернется, что...

"Ангелы были вырезаны, оставалось только их наклеить. Но я не успела, уехала за границу, а они так и остались в папке. Может быть, кто-нибудь другой наклеил. Но — как? Нужно бы уж очень хорошо знать меня, чтобы догадаться: какого — куда".

(В голосе — озабоченность. Речь об ангельском окружении Алексея человека Божьего.)

ВЫСТАВКИ 1903—1906 гг.

Скульптурная выставка вне-классных работ в Московском Училище Живописи и Ваяния (до 1903 г.).

Выставка Московского Товарищества Художников.

Акварельная выставка в здании Московского Литературно-Художественного Кружка.

Русская выставка в Париже — 1906 г. (Устроитель — Дягилев.)

Русская выставка в Берлине у Кассирера.

1906—1911 гг.

Мир Искусства (Москва и Петербург).

Золотое Руно (состоит в организации).

Stephanos (Венок) — Москва (состоит в организации).

Венок в Петербурге.

Салон Издебского.

Бубновый валет (1910—1911 гг.)

Ослиный Хвост (1912 г.)

Союз Молодых в Петербурге.

Der Sturm (Буря) — Берлин.

Выставка после-импрессионистов в Лондоне (объединение с западными силами).

Herbstsalon (Осенний салон) — Берлин.

Der blaue Reiter (Голубой всадник) — Мюнхен.

Отдельная выставка на один вечер в Литературно-Художественном Кружке (Москва).

ПОСЛЕ-РОССИИ

Мы оставили Гончарову в вагонном окне, с путевым альбомом в руках. Фиорды, яркие лужайки, цветущая рябина — в Норвегии весна запаздывает, — благословляющие — за быстротой всегда вслед! лапы елок, курчавые речки, стремящиеся молодые тела бревен. Глаза глядят, рука заносит. Глядят на то, что видят, не на то, что делают. Станция: встреча глаза с вещью. Весна запаздывает, поезд опережает. Из опережающего поезда — запаздывающую весну. Вещь из поезда всегда запаздывает. Все, что стоит, — запаздывает. (Деревья и столпники не стоят: идут вверх.) Тем, что стоит, — запаздывает. А из вагонного окна вдвойне запаздывает — на все наше продвижение. Но в Норвегии — сама весна запаздывает! То, что Гончарова видит в окне, — запаздывает втройне. Как же ей не торопиться?

В итоге целый альбом норвежских зарисовок. Норвегия на лету.

Первая стоянка — Швейцария. С Швейцарией у Гончаровой не ладится. Навязчивая идея ненастоящести всего: гор и озер, козы на бугре, крыла на воде. Лебеди на Лемане явно-вырезные, куда менее живые, чем когда-то ее деревца. Не домик, где можно жить и умереть, а фанерный "chalet suisse" (сувенир для туристов), которому место на письменном столе... знакомых. Над картонажем коров — картонах Альп. Гончарова Швейцарию — мое глубокое убеждение — увидела в неподходящий час. Оттого что Гончарова увидела ее ненастоящей, она не становится поддельной, но и Гончарова, увидев ее поддельной, от этого не перестает быть настоящей. — Разминовение. — Но — показательное: стоит только Гончаровой увидеть вещь ненастоящей, как она уже не может, суть отказывается, значит — кисть. Не натюрморт для Гончаровой шляпа или метла, а живое, только потому их писать *смогла*. Для Гончаровой *пишущей* натюрмортов нет. Как только она ощутила вещь натюрмортом, писать перестала. На смерть Гончарова отвечает смертью, отказом. (Вспомним городской камень и зиму, — для нее — давящих жизнь: траву.) Смерть (труп) не ее тема. Ее тема всегда, во всем воскресение, жизнь: тот острый зеленый росток ее первого воспоминания. (Писала ли хоть раз Гончарова — смерть? Если да, то либо покой спящего, либо радость воскрешающего. Труп как таковой — никогда). Гончарова вся есть живое утверждение жизни, не только здесь, а жизни навек. Живое опровержение смерти.

"Быть может — умру, *наверно* воскресну!"

Идея воскресения, не идея, а живое ощущение его, не когда-то, а вот-вот, сейчас, уже! — об этом все ее зеленые ростки, листки, — *мазки*.

Растение, вот к чему неизбежно возвращаюсь, думая о Гончаровой. Какое чудесное, кстати, слово, насущное состояние предмета сделавшее им самим. Нет предмета вне данного его состояния. Цветение (чего-то, и собирательное), плетение (чего-то, из чего-то, собирательное), растение — без ничего, единоличное, сам рост. Глагольное существительное, сделавшееся существительным отдельным, олицетворяющее собой глагол. *Живой глагол*. Существительное отделившееся, но не утратившее глагольной длительности. Состояние роста в его разовом акте ростка, но не даром глагольное звучание — акте непрерывном, акте-состоянии, — вот растение.

Не об одном растительном орнаменте речь, меньше всего, хотя и говорю о живописце. Всю Гончарову веду от растения, растительного, растущего. Орнамент — только частность. Волнение, с которым Гончарова произносит "куст", "рост", куда больше, чем то, с которым произносит "кисть", и — естественно, — ибо кисть у нее в руке, а куст? рост? Доводов, кроме растительных, от Гончаровой не слыхала. — "Чем такое большое и круглое дерево, например, хуже, чем..." Это — на словах "не хуже, чем", в голосе же явно "лучше" — что — лучше! — несравненно.

Куста, ветвь, стебель, побег, лист — вот доводы Гончаровой в политике, в этике, в эстетике. Сама растение, она не любит их отдельно, любит в них себя, нет, лучше, чем себя; свое. Пишучи ивовые веточки и тополиные сережки — *родню* пишет тульскую. А то подсолнухи, родню тираспольскую. Родню кровную, древнюю, породнее, чем Гончарова — та. Глядя на Гончарову, глядящую на грядку с капустой — вниз — или на ветку в сережках — вверх, хочется вложить ей в уста последнюю строчку есенинского Пугачева:

"— Дар-рагие мои... ха-ар-рошие..."

Мнится мне, Гончарова больше любит росток, чем цвет, стебель, чем цвет, лист, чем цвет, виноградный ус, чем плод. Здесь рост голее, зеленее, новее. (Много цветов писала, там — подсолнухи, здесь магнолии (родню дальнюю), всюду розы — родню вечную, не в этом суть). Недаром любимое время года весна, в цвет — как в путь — пускающаяся. И еще — одно: цвет сам по себе красив, любовь к нему как-то — корыстна, а — росток? побег? Ведь только чистый жест роста, побег от ствола, на свой страх и риск.

Первое сильное впечатление Европы — Испания. Первое сильное впечатление Испании — развалина. Никто не работает, и ничто не держится. Даже дома не держатся, держаться ведь тоже работа — вот и разваливается. Разваливается, как лень в креслах: нога здесь, нога там. Естественное состояние — праздность. Не ровно столько, сколько нужно, чтобы прожить, а немножко меньше, чем нужно, чтобы не умереть. Прожиточный минимум здесь диктуется не расценкой товаров, а расценкой собственных движений, от предпринимательской независимой. Но — лень исключительно на труд. (Есть страны, ленивые только на удовольствия.)

Даже так: азарт ко всему, что не труд. Либо отдыхают, либо празднуют. Страна веселого голода, страна презрения к еде (пресловутая испанская луковица). "Если есть — работать, я не ем". (Детское негодующее: "Я больше не играю".) Гончаровой чужая праздность и чужой праздник не мешают. Полотняный Завод на саламанкский лад. Здесь Гончарова пишет костюмы к Садку, рядит Садка в красную поддевку, царевну в зелено-желто-серебряную не то чешуйку, не то шкурку, наряжает морских чудищ. "Садко", потом, идет в Испании два раза, привезенный Дягилевым "домой".

Историйка.

В пустой старой университетской церкви Саламанки монах рассказывает и показывает группе посетителей давнюю древнюю университетскую славу:

— "Этот университет окончило трое святых. Взгляните на стену: вот их изображения. С этой кафедры, на которую еще не вступала нога ни одной женщины, Игнатий Лойола защищал свою..."

Почтительный подъем посетительских голов и — с *кафедры* слушающая Гончарова.

В Испании Гончарова открывает черный цвет, черный не как отсутствие, а как наличность. Черный как цвет и как свет. Здесь же впервые находит свою пресловутую *гончаровскую* гамму: черный, белый, коричневый, рыжий. Цвета сами по себе не яркие, яркими не считающиеся, приобретают от чистоты и соседства исключительную яркость. Картина кажется написанной красным, скажем, и синим, хотя явно коричневым и белым. Яркость изнутри. (В красках, как в слове, яркость, очевидно, вопрос соседства, у нас — контекста).

На родине Сервантеса, в Саламанке, Гончарова проводит больше полугода и здесь же начинает Литургию — громадную мистерию по замыслу Ларионова и Дягилева, по бытовым соображениям неосуществленную.

ГОНЧАРОВА И ТЕАТР

Основная база Гончаровой — Париж. Здесь она живет и работает вот уже пятнадцать лет.

Начнем с самой громкой ее работы — театральной. Театром Гончарова занималась уже в России: "Золотой Петушок", "Свадьба Зобеиды", "Веер" (Гольдони).

"Золотой Петушок". Народное, восточное, крестьянское. Восточно-крестьянский царь, окруженный мужиками и бабами. Не кафтаны, а поддевки. Не кокошники, а повязки. Сарафаны, поневы. Бабы и как тогда и как всегда. Яркость — не условная лжерусского стиля "клюква", безусловная яркость вечно-крестьянского и восточного. Не восстановка историка и археолога, архаическое чувство далей. Иным языком: *традиция*, а не реставрация, и *революция*, а не реставрация. Точь-в-точь то же, что с народной сказкой "Золотой петушок" сделал Пушкин. И хочется сказать: Гончарова не в двоюродную бабку пошла, а в сводного деда. Гончарова вместе с Пушкиным смело может сказать: "я сама народ".

"Золотой Петушок" поворотный пункт во всем декоративном искусстве. Неминуемость пути гончаровского балета. Гончаровский путь не потому неминуем, что он "гончаровский", а потому, что он единственный правильный. (Потому и "гончаровский", что правильный.)

Здесь время и место сказать о Гончаровой — проводнике Востока на Запад — живописи не столько старорусской: китайской, монгольской, тибетской, индусской. И не только живописи. Из рук современника современность охотно берет — хотя бы самое древнее и давнее, рукой дающего обновленное и приближенное. Вещи, связанные для европейского художника с музеями, под рукой и в руках Гончаровой для них оживают. Силой, новизной и левизной — дающей, подающей, передающей — дарящей их руки.

"Свадьба Зобеиды". Здесь Гончарова впервые опрокидывает перспективу, и, с ней, нашу точку зрения. Передние вещи меньше задних, дальние больше ближних. Цветочные цвета, мелкопись, Персия.

"Веер" я видела глазами, и, глаза закрыв: яблонное райское цветущее дерево, затмившее мне тогда всех: и актеров, и героев, и автора. Перешумевшее — суфлера! Веера не помню. Яблоню.

Заграничные работы. "Свадебка" Стравинского (Париж). В противовес сложному плетению музыки и текста — прямая насущная линия, чтобы было на чем, вокруг чего — виться причуде. Два цвета: коричневый и белый. Белые рубахи, коричневые штаны. Все гости в одинаковом. Стенная скамья, стол, в глубине дверь то закрывающаяся, то открывающаяся на тяжелую кровать. Но — глубокий такт художника! — для того, чтобы последнее слово осталось за Стравинским, занавес, падающий на молодых, гостей, сватов — свадебку, — сплошное плетение, вязь. Люди, звери, цветы, сплошное перехождение одного в другое, из одного в другое. Век раскручивай — не раскрутишь. Музыка Стравинского, уносимая не в ушах, а в очах.

"Свадебка" и "Золотой Петушок" (в котором все на *союзе* с музыкой) — любимые театральные работы Гончаровой.

"Покрывало Пьеретты" (Берлин) — светлое, бальное, с лестницами, с кринолинами. Перенаряженные, в газовом, в розовом, перезрелые чудовища-красавицы, на отбрасывающем фоне которых невесты и красавицы настоящие. Настоящая свеча и продолжение на стене, нарисованное, сияние. Окно и все звезды в окне. В "Жар-Птице" яблонный сад, на который падает Млечный Путь. (Продолженное сияние, полное окно звезд, Млечный Путь, падающий в сад, — все это Гончарова дает впервые. Потом берут все.)

...."Спящая Царевна", неосуществленная Литургия, "Праздник в деревне" (музыка Черепнина), "Rhapsodie Espagnole" (Равель), "Triana". Кукольный театр, "Карагез" (Черный Глаз, — декорации к турецкому теневому театру превращений).

— "Театр? Да вроде как с Парижем: хотела на Восток, попала на Запад. С театром мне *пришлось* встретиться. Представьте себе, что вам заказывают театральную вещь, вещь удается, — не только вам, но и на сцене, — успех — очередной заказ... Отказываться не приходится, да и *каждый заказ*, в конце концов, приказ: смоги и это! Но любимой моей работой театр никогда не был и не стал".

Приведенное отнюдь не снижает ценности Гончаровой-декоратора и всячески подымает ценность Гончаровой — Гончаровой.

— "Печальная работа — декорации. Ведь хороши только в первый раз, в пятый раз... А потом начнут возить, таскать, — к двадцатому разу неузнаваемы... И ведь ничего не остается — тряпки, лохмотья... А бывает — сгорают. Вот у нас целый вагон сгорел по дороге..." (говорит Ларионов).

Я, испуганно: — Целый вагон?

Он, еще более испуганный: — Да нет, да нет, не гончаровских, моих... Это мои сгорели, к...

И еще историйка. Приходит с вернисажа, веселый, сияющий. — "Гончарову повесили замечательно. Целая отдельная стена, освещение — лучше нельзя. Если бы сам выбирал, лучше бы не выбрал. Лучшее место на выставке... Меня? (скороговоркой) меня не особенно, устроитель даже извинялся, говорит, очень трудно, так ни на кого не похоже... В общем — угол какой-то и света нет... даже извинялся... Но вот — Гончарову!"

Имя Ларионова несколько раз встречается в моем живописании. Хотела было, сначала, отдельную главу "Гончарова и Ларионов", но отказалась, поняв, что отделить — умалить. Как выделить в книге о Гончаровой Ларионова — в главу, когда в *книге Гончаровой*, ее бытия, творчества, Ларионов с первой строки в каждой строчке. Лучше всех моих слов о Гончаровой и Ларионове — них — собственные слова Гончаровой о нем: "Ларионов — это моя рабочая совесть, мой камертон. Есть такие дети, отродясь все знающие. Пробный камень на фальшь. Мы *очень* разные, и он меня видит из меня, не из себя. Как я — его".

Живое подтверждение разности. Приношу Гончаровой напоказ детские рисунки: ярмарку, — несколько очень ярких, цветных, резких, и других два, карандашом: ковбои и танцовщица. Гончарова сразу и спокойно накладывает руку на ярмарочные. Немного спустя явление Ларионова. — "Это что такое?" И жест нападчика, хищника — рукой, как ястреб клювом — выклевывает, выхватывает — ковбоев, конечно. — "Вот здорово! Может, подарите совсем? И это еще". — Второй, оставленный Гончаровой.

Много в просторечии говорится о том, кто больше, Гончарова или Ларионов. — "Она всем обязана ему". — "Он всем обязан ей". — "Это он ее так, без него бы..." — "Без нее бы он..." и т.д., пока живы будут. Из приведенного явствует, что — равны. Это о парности имен в творчестве. О парности же их в жизни. Почему расстаются лучшие из друзей, по-глубокому? Один растет — другой перерастает; растет — отстает; растет — устает. Не перестали, не отстали, не устали.

Не принято так говорить о живых. Но Гончарова и Ларионов не только живые, а надолго живые. Не только среди нас, но и немножко дальше нас. Дальше и дольше нас.

ИЗ БЕСЕД

— "Декоративная живопись? Поэтическая поэзия. Музыкальная музыка. Бессмыслица. Всякая живопись декоративна, раз она украшает, *красит*. Это входит в понятие самого существа живописи и отнюдь не определяет отдельного ее свойства. Декоративность в живопись включена. А только декоративных вещей я просто не знаю. Декоративное кресло? Очевидно, все-таки для того, чтобы в нем сидеть, иначе: зачем оно — кресло? Есть бутафорские кресла, чтобы *не* садиться, люди, очевидно, просто ошибаются в словах.

Декоративным у нас, в ремесле, называют несколько пересеченных ярких плоскостей. Вот что *я* знаю о декоративности..."

— "Эклектизм? Я этого не понимаю. Эклектизм — одеяло из лоскутов, сплошные швы. Раз шва нет — мое. Влияние иконы? Персидской миниатюры? Ассирии? Я не слепая. Не для того я смотрела, чтобы забыть. Если Вы читаете Шекспира и Шекспира любите, неужели Вы его забудете, садясь за своего Гамлета, например? Вы этого сделать не сможете, он в вас, он стал частью Вас, как вид, на который Вы смотрели, дорога, по которой Вы шли, как случай собственной жизни".

(Я, мысленно: — претворенный, *неузнаваемый*!)

— "Я человека вольна помнить, а икону — нет? Забыть — не то слово, нельзя забыть вещи, которая уже не вне Вас, а в Вас, которая уже не в прошлом, а в настоящем. Разве что — "забыть себя".

— Как тот солдат.

— "Этот страх влияния — болезнь. Погляжу на чужое, и свое потеряю. Да как же я свое потеряю, когда оно каждый день другое, когда я сама его еще не знаю".

— То же самое, что: "я потерял завтрашний день".

— "И какое же это свое, которое потерянным быть может? Значит, не твое, а чужое, теряй на здоровье! Мое это то, чего я потерять не могу, никакими силами, неотъемлемое, на что я обречена".

И я, мысленно: влияние, влияние *на*. Вздор. Это давление на, влияние — *в*, как река в реку, поди-ка разбери, чья вода — Роны или Лемана. Новая вода, небывшая. Слияние. И еще, слово Гете — странно, по поводу того же Шекспира, которого только что приводила Гончарова: "Все, что до меня, — мое".

О Гамлете же: Гамлета не забуду и не повторю. Ибо незабвенен и неповторим.

ПОВТОРНОСТЬ ТЕМ

...— "Не потому, что мне хочется их еще раз сделать, а потому, что мне хочется их окончательно сделать, — в самом чистом смысле слова — отделаться". (Чистота, вот одно из самых излюбленных Гончаровой слов и возлюбивших ее понятий.)

Гончарова свои вещи не "отделывает", она от них отделывается, отмахивается кистью. Услышим слова.

160

Отделывать как будто предполагать тщательность, отделываться — небрежность. "Только бы отделаться". Теперь вникнем в суть. От чего мы отделываемся? От вещей навязчивых, надоевших, не дающих, от *вещей — навязчивых идей*. Если эта вещь еще и твоя собственная, единственная возможность от нее отделаться — ее кончить. Что и делает Гончарова.

"Пока не отделаюсь" — сильнее, чем "доделаю", а с "отделаю" и незнакомо. Отделаюсь — натиск на меня вещи, отделаю — мое распоряжение ею, она в распоряжении моем. Отделывает лень, неохота взяться за другое, отделывается захват. Нет, Гончарова, именно, от своих вещей отделывается, а еще лучше — с ними разделывается — кто кого? как с врагом. И не как с врагом, просто — с врагом. Что вещь в состоянии созидания? Враг в рост. Схватиться с вещью, в этой ее обмолвке весь ее взгляд на творчество, весь ее творческий жест и вся творческая суть. Но — с вещью ли схватка? Нет, с собственным малодушием, с собственной косностью, с собственным страхом: задачи и затраты. С собой — бой, а не с вещью. Вещь в стороне, спокойная, знающая, что осуществится. Не на этот раз, так в другой, не через тебя, так через другого. — Нет, именно сейчас и именно через меня.

Признаюсь, что о повторности тем у Гончаровой — преткнулась. Все понимая — всю понятную, — не поняла. Но — что может злого изойти из Назарета? Вот подход. А вот ход.

Раз повторяет вещь, значит, нужно. Но повторить вещь невозможно, значит, не повторяет. Что же делает, если не повторяет? Делает другое что-то. Что именно? К вещи возвращается. К чему, вообще, возвращаются? К недоделанному (ненавистному) и к тому, с чем невозможно расстаться, — любимому, т.е. к недоделанному тобой и недовершенному в тебе. Итак, "разделаться" и "не расстаться" — одно. Есть третья возможность, вещь никогда не уходила, и Гончарова к ней никогда не возвращалась. Вещь текла непрерывно, как подземная река, здесь являясь, там пропадая, но являясь и пропадая только на поверхности действия, внутри же — иконы и крестьянские, например, теча собственной гончаровской кровью. Ведь иконы и крестьяне — в ней.

— Есть вещи, которые вы особенно любите, любимые?

— "Нелюбимые есть: недоделанные".

Пристрастием Гончаровой к данным темам ничего не объяснишь. Да любит ли художник свои вещи? Пока делает — сражается, когда кончает — опять сражается и опять не успевает любить. Что же любит? Ведь что-нибудь да любит! Во-первых, устами Гончаровой: "я одно любила — делать", делание, самое борьбу. Второе: задачу. То, ради чего делаешь и как делаешь — не вещь. Вещь — достижение — отдается в любовь другим. Как имя. — Живи сама. Я с моими вещами незнакома.

Рассказывает о театральных работах: "Золотой Петушок", "Свадебка", "Покрывало Пьеретты", "Садко..." Да, у меня еще в Америке какая-то вещь есть... не помню, как она называется..." Какая-то... не помню... а ведь был день, когда только этой вещью жила.

> ...И каждый мазочек обдуман, обмыслен,
> И в каждый глазочек угодничек вписан...

Опыт остался, вещь ушла. — Родства не помнящие! — А расставаться жаль. Так, отправляя своих Испанок за море (за то, за которым никогда не будет), Гончарова, себе в утешение, себе в собственность, решает написать вторых, точно таких же, повторить. И — что же? "И тон другой, и некоторые фигуры проработаны иначе". А ведь вся задача была — повторить. Очевидно, непосильная задача. А непосильная потому, что обратная творческой. Да что искать у Гончаровой повторов творца, живой руки, когда и третий оттиск гравюры не то, что первый. Повторность тем при неповторности подходов. Повторность тем при неповторности дел.

Но, во избежание недоразумений, что — тема? О чем

162

вещи, отнюдь не что вещи, целиком отождествимое с *как*, в тему не входящим, и являющимся (в данном случае) чисто живописной задачей.

Тема — испанки, тема повторяется, т.е. повторяется только слово, наименование вещи и название встречающегося в ней предмета, веер, например. Ибо сам веер от разу к разу — другой. Ибо иная задача веера. Повторность чисто литературная — ничего общего с живописью не имеющая.

Повторность тем — развитие задачи, рост ее. Гончарова со своими вещами почти что незнакома, но и вещи Гончаровой почти друг с другом незнакомы, и не только разнотемные, однотемные. (Вывод: тема в живописи — ничто, ибо тема — все, не-темы нет. Я бы даже сказала: без права предпочтения.) Возьмем Косарей и Бабы с граблями. Тема, прохождение ряда фигур. Живописная задача? Не знаю. Осуществление: другие пропорции, другие цвета, иная покладка красок. Бабы: фигуры к центру, малоголовые, большетелые, Косари (сами — косы!) — фриз, продольное плетение фигур. Что общего? Прохождение ряда фигур. Обща тема. Но так как дело не в ней, а в живописной задаче, которая здесь *явно* разная, то те косари с теми бабами так же незнакомы, как косари Ассирии, скажем, с бабами России.

(Высказываемое целиком от имени чужого творчества. Для поэта все дело в *что*, диктующем *как*. "Ритмы" Крысолова мне продиктованы крысами. Весь Крысолов по приказу крыс. Крысо-приказ, а не приказ поэтической задачи, которой просто нет. Есть задача каждой отдельной строки, то есть осуществление всей задачи вещи. Поэтическая задача, если есть, не цель, а средство, как сама вещь, которой служит. И не задача, а процесс. — Задача поэзии? Да. Поэтическая задача? *Нет*.)

— А иногда и без задачи, иногда задача по разрешении ее, ознакомление с нею в конце, в виде факта налицо. Вот разрешила, теперь посмотрим — что. Вроде ответов, к которым же должен быть вопрос.

Мнится мне, Гончарова не теоретик своего дела, хотя и была в свое время, вернее, вела свое время под меняющимися флажками импрессионизма, футуризма, лучизма, кубизма, конструктивизма, и, думается мне, ее задачи скорее задачи всей сущности, чем осознанные задачи, ставимые как цель и как предел. Гончаровское что не в теме, не в цели, а в осуществлении. Путевое. Попутное. Гончарова может сделать больше, чем хотела, и, во всяком случае, иначе, чем решила. Так, только в последний миг жизни сей, в предпервый — той, мы понимаем, что куда вело. Живописная задача? Очередное и последнее откровение.

ГОНЧАРОВА И ШКОЛА

Создала ли Гончарова школу? Если создала, то не одну, и лучше, чем школу; создала живую, многообразную творческую личность. Неповторимую.

— "Когда люди утверждались в какой-нибудь моей мысли, я из нее уходила". Гончарова только и делает, что перерастает собственные школы. Единственная школа Гончаровой — школа роста. Как другого научить — расти.

Это о школе-теории, а вот о школе-учебе, учениках. Бывало иногда по три-четыре, никогда по многу. Давала им тему (каждому — свою), и тотчас же, увлекшись, тотчас же себе ее воспрещала. "Потому что, если начну работать то же, невольно скажу, укажу, ну просто — толкну карандаш в *свою* сторону, а этого быть не должно. Для чего он учится у меня? Чтобы быть как я? И я — для чего учу? Опять — себя? — Учу? — Смотри, наблюдай, отмечай, выбирай, отметай не свое — ведь ничего другого, несмотря на самое большое жалование, не могу дать". — Будь.

Школу может создать: 1) теоретик, осознающий, систематизирующий и оглавляющий свои приемы. Хотящий школу создать; 2) художник, питающийся собственными приемами, в *приемы,* пусть самим открытые, верящий — в годность их не только для себя, но для других, и что, главное, не только для себя иначе, для себя завтра. Спасшийся и спасти желающий. Тип верующего безбожника. (Ибо упор веры не в открывшемся ему приеме, а в приеме: закрывшемся, обездушенном); 3) пусть не теоретик, но — художник одного приема, много — двух. То, что ходит, верней, покоится, под названием "монолит".

Там, где налицо многообразие, школы, в строгом смысле слова, не будет. Будет — влияние, заимствование у тебя частностей, отдельностей, ты — в розницу. Возьмем самый близкий нам всем пример Пушкина. Пушкин для его подвлиянных — Онегин. Пушкинский язык — онегинский язык (размер, словарь). Понятие пушкинской школы — бесконечное сужение понятия самого Пушкина, один из аспектов его. "Вышел из Пушкина" — показательное слово. Раз *из* — то либо *в* (другую комнату), либо *на* (волю). Никто в Пушкине не остается, ибо он сам в данном Пушкине не остается. А *остающийся* никогда в Пушкине и не бывал.

Влияние всего Пушкина целиком? О, да. Но каким же оно может быть, кроме освободительного? Приказ Пушкина 1829 года нам, людям 1929 года, только контр-пушкинианский. Лучший пример "Темы и Варьяции" Пастернака, дань любви к Пушкину и полной свободы от него. Исполнение пушкинского желания.

Влияние Гончаровой на современников огромно. Начнем с ее декоративной деятельности, с наибольшей ясностью явления и, посему, влияния. Современное декоративное искусство мы смело можем назвать гончаровским. "Золотой Петушок" перевернул всю современную декорацию, весь подход к ней. Влияние не только на русское искусство — вся "Летучая мышь", до Гончаровой шедшая под знаком 18-го века и Романтизма; художники Судейкин, Ремизов, тот же Ларионов, открыто и настойчиво заявляющий, что его "Русские сказки", "Ночное Солнце", "Шут" — простая неминуемость гончаровского пути. Пример гончаровского влияния на Западе — веский и лестный (если не для Гончаровой, сыновне-скромной, то для России, матерински-гордой), пример Пикассо, в своих костюмах к балету "Tricorne" (Труголка), давший такую же Испа-

нию, как Гончарова — Россию, по тому же руслу на-
родности.

Это о влиянии непосредственном. А вот о предвосхи-
щении, которое можно назвать влиянием Будущего на
художника. Первая ввела в живопись машину (об этом
особо). Первая ввела разное толкование одной и той
же темы (циклы Подсолнухи, Павлины, 1913 г.). Первая воссоединила станковую живопись с декоративной,
прежде слитые. Явные следы влияния на французских
художников Леже, Люрса, Глэз, делающих это ныне,
то есть пятнадцать лет спустя. Цветная плоскость, пло-
скостная живопись в противовес глубинной — русское
влияние, возглавляемое Гончаровой. Первая ввела иллюстрации к музыке[1].

У кого училась сама Гончарова? В Школе Живописи
и Ваяния — ваянию. И, как дети говорят: "Дальше
всё". Да, дальше — *всё*: жизнь — вся, природа — вся,
погода — всякая, народы — все. У природы, а не у людей, у народов, а не у лиц.

Новатор. Переступим через пошлость этого слова —
хотела ли Гончарова быть новатором? Нет, убеждена,
что она просто хотела сказать свое, свое данное, данный ответ на данную вещь, *сказать вещь*. Хотеть дать
новое, никогда не бывшее, это значит, в данную минуту
о бывшем думать, с чем-то сравнивать, что-то помнить, когда все нужно забыть. Все, кроме данной скром-
ной, частной чистой задачи. Не только нужно забыть,
нельзя не забыть. "Свое"? Нет, правду о вещи, вещь в
состоянии правды, саму вещь. Как Блок сказал, обра-
щаясь к женщине:

> О тебе! о тебе! о тебе!
> Ничего, ничего обо мне.

Хотелось дать "новое" (завтрашнее "старое"), это
ведь того же порядка, что хотеть быть знаменитым, —
здесь равнение по современникам, там по предшествен-

---

[1] Лучше всего об иллюстрации сказала сама Гончарова: — Иллюстрация? Просвещение *темных. (Примеч. М.И. Цветаевой.)*

никам, занятость собою, а не вещью, трех. Хотеть дать правду — вот единственное оправдание искусства, в *оправдании* (казармы, подвалы, траншеи, заводы, больницы, тюрьмы) — *нуждающегося*.

ГОНЧАРОВА И МАШИНА

В нашем живописании доселе все спевалось. Гончарова природы, народа, народов, со всей древностью деревенской крови в недавности дворянских жил, Гончарова — деревня, Гончарова — древность, Гончарова — дерево, древняя, деревенская, деревянная, древесная, Гончарова с сердцевиной вместо сердца и древесиной вместо мяса, — земная, средиземная, красно-и-черноземная, Гончарова — почвы, коры, норы —

боящаяся часов ("Вы только послушайте! Ведь это лошадь бежит по краю земли!"),

сопутствующая лифту,

пылящая пылесос (так и лежит в пыли, как в замше)

— Гончарова первая ввела машину в живопись.

Удар пойдет не оттуда, откуда ждут. Машина не мертвая. Не мертво то, что воет человеческим — нечеловеческим! — голосом, таким — какого и не подозревал изобретатель! — сгибается, как рука в локте, и как рука же, разогнувшись, убивает, ходит, как колено в коленной чашке, не мертво, что вдруг — взрывается или: стоп — внезапно отказывается жить. Машина была бы мертва, если бы никогда не останавливалась. Пока она хочет есть, пока она вдруг не хочет дальше или не может больше, кончает быть — она живая. Мертвым был бы только perpetuum mobile (чего? смерти, конечно). В ее смертности — залог ее живости. Раз умер — жил. Не умирает на земле — только мертвец.

Не потому, что мертвая противуставляю машину живой Гончаровой, а потому что — убийца. Чего? Спросите беспалого рабочего. Спросите любого рабочего. Не забудьте и крестьянина, у которого дети "в городе". Спросите русских кустарей. Убийца всего творческого начала: от руки, творящей, до творения этой руки.

Убийца всего "от руки", всего творчества, всей Гончаровой. Гончаровой машина — *лишняя*, но мало лишняя — еще и помеха: то внешне-лишнее, становящееся — хоти не хоти — внутренним, врывающееся — через слух и глаз — внутрь. Гончарова скачущую лошадь часов слышит в себе. Сначала скачущую лошадь на краю света, потом внутри тела: сердца. Физическое сердцебиение в ответ и в лад. Как можно, будучи Гончаровой — самим оком, самим эхом, — не отозваться на такую вещь, как машина? Всей обратностью отзывается, всей враждой. Вводи не вводи в дом, но ведь когда-нибудь из дома — выйдешь! А не выйдешь — сама войдет, в виде — хотя бы жилетных часов — гостя. И лошадь будет скакать. (Знаю эту лошадь: конь Блед, по краю земли — конца земли!)

Гончарова с машиной в своих вещах справляется с собственным сердцем, где конь, с собственным сердцем, падающим в лифте — в лифт же! — с собственной ногой, переламывающейся по выходе с катящейся лестницы. О бессмыслица! мало сознания, что земля катится, нужно еще, чтобы под ногой катилась! о уничтожение всей идеи лестницы, стоящей нарочно, чтобы мне идти и только пока иду (когда пройду, лестницы опять льются! в зал, в пруд, в сад!), — уничтожение всей идеи подъема, ввержение нас в такую прорву глупости: раз лестница — я должен идти, но лестница... идет! я должен стоять. И ждать — пока доедет. Ибо — не пойду же я с ней вместе, дробя ее движение, обессмысливая ее без того уже бессмысленный замысел: самоката, как она обессмыслила мой (божественный): ног. Кто-то из нас лишний. Глядя на все тысячи подымающихся (гончаровское метро Mabillon, где я ни разу за десятки лет не подымалась, по недвижущейся, с соседом), глядя на весь век, — явно я.

Пушкин ножки воспевал, а я — ноги!

"Maison roulante"[1], (детская книжка о мальчике, украденном цыганами), — да, tapis roulant[2] — нет.

---

[1] Дом на колесах (*франц.*).
[2] Эскалатор (*франц.*).

Чтобы покончить с катящейся лестницей: *каждая* лестница катится 1) когда тебя на ней нет 2) в детстве, когда *с нее*.

Гончарова машину изнутри — вовне выгоняет, как дурную кровь. Когда я глазами вижу свой страх, я его не боюсь. Ей, чтобы увидеть, нужно явить. У Гончаровой с природой родство, с машиной (чуждость, отвращение, притяжение, страх) весь роман розни — любовь.

Машина — порабощение природы, использование ее всей в целях одного человека. Человек поработил природу, но, поработив природу, сам порабощен орудием порабощения — машиной: сталью, железом, природой же. Человек, природу восстановив против самой себя, с самой собой стравив, победителем (машиной) раздавлен. Что не избавило его от древнего рока до-конца — во-веки непобедимого побежденного — природы: пожаров, землетрясений, извержений, наводнений, откровений... Попадание под двойной рок. Человек природу с природой разъединил, разорвал ее напополам, а сам попал между. Давление справа, давление слева, а еще сверху — Бог, а еще снизу — гроб.

Но — природа своих познаша. Откажемся от личных преимуществ и немощей (то, что я опережаю лифт, — моя сила, то, что я в него боюсь встать, — мой порок). Есть давность у нововведений. Фабричная труба почти природа, как колокольня. Рельсы уже давно река, с набережными — насыпями. Аэроплан завтра будет частью неба, зачем завтра, когда уже сейчас — птица! И кто же возразит против первой машины — колеса?

И, может быть, минуя все романы, любви и ненависти, Гончарова просто приняла в себя машину, как[1] ландшафт.

Машина не только поработитель природы, она и порабощенная природа, такая же, как Гончарова в городе. Машина с Гончаровой — союзники. Соответствие.

_____

[1] Это сделал (*Примеч. М.И. Цветаевой.*).

Солдата заставляют расстреливать — солдата. Кто он? Убийца. Но еще и самоубийца. Ибо часть армии, как его же пуля — часть руды. Солдат в лице другого такого же сам себя, самого себя убивает. В самоубийце слиты убийца и убиенный. Солдат может отказаться — отказывается (расстрел мисс Кавель, узнать имя солдата). Но и машина отказывается. Отказавшийся солдат — бунт. Отказавшаяся машина — взрыв. На том же примере — осечка. Гончарова, отказывающаяся в лифт, — тот же лифт, отказывающийся вверх. Природа *не* захотела.

Если Гончарова с машиной, орудием порабощения, во вражде, с машиной, природой порабощенной, она в союзе. "Мне тебя, руда, жаль".

Все эти догадки, домыслы, секунды правды. А вот — сама Гончарова: "Принцип движения у машины и у живого — один. А ведь вся радость моей работы — выявить равновесие движения".

Показательно, однако, что впервые от Гончаровой о машине я услышала только после шести месяцев знакомства.

Показательна не менее (показывать, так всё) первая примета для Гончаровой дороги в Медон (который от первого ее шага становится Медынью): "Там, где с правой стороны красивые трубы такие... то две, то пять, то семь... то сходятся, то расходятся..."

ЗАГРАНИЧНЫЕ РАБОТЫ

Кроме громких театральных работ (громких отзывом всех столиц) — работы более тихие, насущные.

На первом месте Испанки. Их много. Говорю только о последних, гончаровском plain chant[1]. Лучший отзыв о них недоуменный возглас одного газетного рецензен-

---

[1] Песнопение (*франц.*).

та: "Mais ce ne sont pas des femmes, ce sont des cathédrales!" (Да это же не женщины, это — соборы!) Всё от собора: и створчатость и вертикальность, и каменность, и кружевность. Гончаровские испанки — именно соборы под кружевом, во всей прямости под ним и отдельности от него. Первое чувство: не согнешь. Кружевные цитадели. Тема испанок у Гончаровой — возвратная тема. Родина их тот первый сухой юг, те "типы евреев", таких непохожих на наших, таких испанских. В родстве и с "Еврейками", и с "Апостолами" (русские работы).

"Одни испанки уехали" — никогда не забуду звука *рока* в этом "уехали". Здесь не только уже неповторность в будущем, а физическая невозвратность — смерть. Как мать: второго такого не порожу, а этого не увижу. Сегодня испанки, завтра тот мой красный корабль. Гончаровой будет легко умирать.

Поэты этого расставания не знают, знают одно: из тетради в печать, — "и другие узнают". Расставание поэта — расставание рождения, расставание Гончаровой — расставание смерти: "всё увидят, кроме меня".

Красный корабль. Глазами и не-глазами увидела, по слову Гончаровой и требованью самой вещи накладывая краски на серый типографский оттиск и раздвигая его из малости данных до размеров — подлинника? — нет, замысла! Не данной стены, а настоящего корабля. Небывалого корабля.

Красный корабль. Как на детских пиратских — неисчислимое количество — по шесть в ряд, а рядов не счесть — боеготовных вздутых парусков. Корабль всех школьников: до-неба! А сверху, снизу, в снастях как в сетях — сами школьники: юнги, с булавочную головку, во всей четкости жучка, взятого на булавку. Справа — куда, слева — откуда. Слева — дом корабля, справа — цель корабля. Левая створка: березы, ели, лисичка, птички, сквозное, пушное, свежее, светлое, северное. Справа — жгут змеи вкруг жгута пальмы, густо кишаще, влажно, земно, черно. А посередке, перерастая и переполняя, распирая створки, — он, красный корабль удачи, корабль добычи вопреки всем современным

"Колумбиям", вечный корабль школьников — *мечта о корабле.*

Ширмы — сказала Гончарова. А я скажу — окно. Четырехстворчатое окно, за которым, в которое, в котором. Вечное окно школ — на все корабли. Сегодня проплывает красный.

Красный корабль проплыл вместе с окном. В те самые тропики, утягивая с собой и левую створку — Север. Из жизни Гончаровой ушло все то окно. Вместо него голая стена. Глухая стена. А может быть — дыра в стене, во всю стену — на какой-нибудь двор, нынче парижский, завтра берлинский. Эту дыру Гончарова возит с собой. Дыра от корабля. Вечная. Но не одна Гончарова своего корабля не увидит, и я не увижу. Гончарова больше никогда, я просто никогда. *Никогда —* больше.

Большое полотно "Завтрак". Зеленый сад, отзавтракавший стол. На фоне летних тропик — семейка. Центр внимания — усатый профиль, усо-устремленный сразу на двух: жену и не-жену, голубую и розовую, одну обманщицу, другую обманутую. Голубая от розовой закуривает, розовая спички — пухлой рукой — придерживает. Воздух над этой тройкой — вожделение. Напротив розовой, на другом конце стола, малохольный "авдиот" в канотье и без пиджака. Красные руки вгреблись в плетеную спинку стула. Ноги подламываются. Тоже профиль, не тот же профиль. Усат. — Безус. Черен. — Белес. Подл. — Глуп. Глядит на розовую (мать или сестру), а видит белую, на которую не глядеть, ожидая того часа, когда тоже, как дитя, будет, глядит — сразу на двух. Белая возле и глядит на него. Воздух в этом углу еще — мление. И, минуя всех и все: усы, безусости, и подстольные нажимы ног, и подскатерные пожимы рук, — с лицом непреклонным как рок, жестом непреклонным как рок, — поверх голов, голубой и розовой — почти им на головы — с белым треугольником рока на черной груди (перелицованный туз пик) — на протезе руки и, на ней, подносе — служанка подает фрукты.

Подбородок у розовой вдвое против положенного, но не римский. Нос у канотье как изнутри пальцем выпихнут, но не галльский. Гнусь усатого не в усе, а в улыбочной морщине, деревянной. О голубой сказать нечего, ибо она обманута. О ней скажем завтра, когда так же будет глядеть — сразу на двух: черного и его друга, которого нет, но который вот-вот придет. Друг — рыжий.

Кто дома, кто в гостях? Чей завтрак съели? Нужно думать, обманутой. Розовая с братом-(или сыном)-канотье в гостях. Захватила, кстати, и племянницу (белую). Чтоб занять канотье. А самой заняться усом. Рука уса на газете, еще не развернутой. Когда розовая уйдет, а голубая останется — развернет.

Детей нет и быть не может, собака есть, но не пес, а бес. За этим столом никого и ничего лишнего. Вечная тройка, вечная двойка и вечная единица: рок.

Либо семейный портрет, либо гениальная сатира на буржуазную семью. Впрочем — то же.

Иконные вещи, перебросившиеся за границу. — "Времена года" (четыре панно). Циклы "Купальщицы", "Магнолии", "Рыбы", "Павлины". Вот один — под тропиками собственного хвоста. Вот другой — "Павлины на солнце", где хвост дан лучами, лучи хвостом. "Солнце — павлин". — "Я этого не хотела". Не хотела, но сделала.

"Колючие букеты" (цветы артишока, аканта, чертополоха) — угроза растущего.

Альбом "Весна", которую я бы назвала "Весна враздробь". Периодическая дробь весны с каким-то остатком, во-веки неделимым. Вот цепи зарисовок:

Весна. Цветение в кристалле. Острия травы как острия пламени. Брызги роста. Цвет или иней? После Баха (весь лист сверху донизу в радужной поперечной волне. Баховские "струйки"). Из весны — в весну (снаружи — в дом, уже смытый весною. Уцелело одно окно.) Весна — наоборот: где небо? где земля? — Пни с брызгами прутьев. — Изгородь в звездах (в небе цветы, на лугу звезды)... И опять Бах.

Альбомы "Les Cités" (Города, Театральные портреты, рисунки костюмов к "Женщине с моря" (последняя роль Дузе). Альбом бретонских зарисовок. Альбом деревьев Фонтенебло. Иллюстрации к "Vie persan". Иллюстрации к "Слову о полку Игоревом". Называю по случайности жеста Гончаровой в ту или другую папку. Гончаровское наследие — завалы. Три года разбирать — не разберешь. Гончарова, как феодальный сеньор, сама не знает своего добра. С той разницей, что она его, руками, делала.

Игорь. Иллюстрации к немецкому изданию Слова. Если бы я еще полгода назад узнала, что таковые имеются, я бы пожала плечами: 1) потому что *Игорь* (святыня, то есть святотатство); 2) потому что я поэт и мне картинок не надо; 3) потому что я никого не знаю Игорю (Слову) в рост. Приступала со всем страхом предубеждения и к слову, и к делу иллюстрации. Да еще — Слова!

И —

Есть среди иллюстраций Игоря — Ярославна, плач Ярославны. Сидит гора. В горе — дыра: рот. Изо рта вопль: а-а-а... Этим же ртом, только переставленным на *о* (вечное о славословия) славлю Гончарову за Игоря.

Как работает Наталья Гончарова? Во-первых, всегда, во-вторых, везде, в-третьих, всé. Все темы, все размеры, все способы осуществления (масло, акварель, темпера, пастель, карандаш, цветные карандаши, уголь, — что еще?), все области живописи, за все берется и каждый раз дает. Такое же явление живописи, как явление природы. Мы уже говорили о гармоничности гончаровского развития: вне катастроф. То же можно сказать о самом процессе работы, делания вещи. Терпеливо, спокойно, упорно, день за днем, мазок за мазком. Нынче не могу — завтра смогу. Оторвали — вернусь, перебили — сращусь. Вне перебоев.

Формальные достижения? Я не живописец, и пусть об этом скажут другие. Могла бы сказать и о "цветных плоскостях", и хвастануть "тональностями", и резнуть различными "измами", — все как все и, может быть, не хуже, чем все. Но — к чему? Для меня дело не в этом. Для Гончаровой дело не в этом, не в словах, "измах", а в делах. Я бы хотела, чтобы каждое мое слово о ней было бы таким же делом, как ее каждый мазок. Отсюда эта смесь судебного следствия и гороскопа.

Кончить о Гончаровой трудно. Ибо — где она кончается? Если бы я имела дело исключительно с живописцем, не хочу называть (задевать), хотя дюжина имен на языке, с личностью, знак равенства, вещью, за пределы подрамника не выступающей, заключенной в своем искусстве, в него включенной, а не неустанно из него исключающейся, — если бы я имела дело не с естественным феноменом роста, а с этой противуестественностью: только-художник (профессионал) — о, тогда бы я знала, где кончить, — так путь оказывается тупиком, — а может быть, и наверное даже, вовсе бы и не начинала. Но здесь я имею дело с исключением среди живописцев, с живописцем исключительным, таким же явлением живописи, как сама живопись явление жизни, с двойным явлением живописи и жизни — какое больше? оба больше! — с Гончаровой-живописцем и Гончаровой-человеком, так сращенным, что разъединить — рассечь.

— С точкой сращения Запада и Востока, Бывшего и Будущего, народа и личности, труда и дара, с точкой слияния всех рек, скрещения всех дорог. В Гончарову всé дороги, и от нее — дороги во все. И не моя вина, что, говоря о ней, неустанно отступала — в нее же, ибо это она меня заводила, отступая, перемещаясь, не даваясь, как даль. И не я неустанно свою тему перерастала, а это она неустанно вырастала у меня из рук.

...С творческой личностью — отчеркни всю живопись — все останется и ничто не пропадет, кроме картин.

С живописцем — не знай мы о *ней* ничего, все узнаем, кроме разве дат, которых и так не знаем.

— Все? В той мере, в какой нам дано на земле ощутить "все" в той мере, как я это на этих многих листах осуществить пыталась. *Все, кроме еще всего.*

Но если бы меня каким-нибудь чудом от этого *еще-всего*, совсем-всего, всего-всего отказаться — заставили, ну просто приперли к стене, или разбудили среди ночи: ну?

Вся Гончарова в двух словах: дар и труд. Дар труда. Труд дара.

И погашая уже пробудившуюся (да никогда и не спавшую) — заработавшую — заигравшую себя — всю:

Кончить с Гончаровой — пресечь.

Пресекаю.

Медон, март 1929

ВСТРЕЧА С ПУШКИНЫМ

Я подымаюсь по белой дороге,
Пыльной, звенящей, крутой.
Не устают мои легкие ноги
Выситься над высотой.

Слева — крутая спина Аю-Дага,
Синяя бездна — окрест.
Я вспоминаю курчавого мага
Этих лирических мест.

Вижу его на дороге и в гроте...
Смуглую руку у лба...—
Точно стеклянная на повороте
Продребезжала арба...—

Запах — из детства — какого-то дыма
Или каких-то племен...
Очарование прежнего Крыма
Пушкинских милых времен.

Пушкин! — Ты знал бы по первому слову,
Кто́ у тебя на пути.
И просиял бы, и по́д руку в гору
Не предложил мне идти.

Не опираясь на смуглую руку,
Я говорила б, идя,
Как глубоко презираю науку
И отвергаю вождя,

Как я люблю имена и знамена,
Волосы и голоса,
Старые вина и старые троны, —
Каждого встречного пса! —

Полуулыбки в ответ на вопросы,
И молодых королей...
Как я люблю огонек папиросы
В бархатной чаще аллей,

Марионеток и звон тамбурина,
Золото и серебро,
Неповторимое имя: Марина,
Байрона и болеро,

Ладанки, карты, флаконы и свечи,
Запах кочевий и шуб,
Лживые, в душу идущие, речи
Очаровательных губ.

Эти слова: "никогда" и "навеки",
За колесом — колею...
Смуглые руки и синие реки,
— Ах, — Мариулу твою! —

Треск барабана — мундир властелина —
Окна дворцов и карет,
Рощи в сияющей пасти камина,
Красные звезды ракет...

Вечное сердце свое и служенье
Только ему, Королю.
Сердце свое и свое отраженье
В зеркале... — Как я люблю...

Кончено... — Я бы уж не говорила,
Я посмотрела бы вниз...
Вы бы молчали, так грустно, так мило
Тонкий обняв кипарис.

Мы помолчали бы оба — не так ли? —
Глядя, как где-то у ног,
В милой какой-нибудь маленькой сакле,
Первый блеснул огонек.

И — потому что от худшей печали
Шаг — и не больше! — к игре,
Мы рассмеялись бы и побежали
За руку вниз по горе.

1913

* * *

Счастие или грусть —
Ничего не знать наизусть,
В пышной тальме катать бобровой,
Сердце Пушкина теребить в руках,
И прослыть в веках —
Длиннобровой,
Ни к кому не суровой —
Гончаровой.

Сон или смертный грех —
Быть как шелк, как пух, как мех,
И, не слыша стиха литого,
Процветать себе без морщин на лбу.
Если грустно — кусать губу,
И потом, в гробу,
Вспоминать Ланского.

1916

ПСИХЕЯ

Пунш и полночь. Пунш — и Пушкин,
Пунш — и пенковая трубка
Пышущая. Пунш — и лепет
Бальных башмачков по хриплым
Половицам. И — как призрак —
В полукруге арки — птицей —
Бабочкой ночной — Психея!
Шепот: "Вы еще не спите?
Я — проститься..." Взор потуплен.
(Может быть, прощенья просит
За грядущие проказы
Этой ночи?) Каждый пальчик
Ручек, павших Вам на плечи,
Каждый перл на шейке плавной
По́ сто раз перецелован.
И на цыпочках — как пери! —
Пируэтом — привиденьем —
Выпорхнула. — Пунш — и полночь.
Вновь впорхнула: "Что за память!
Позабыла опахало!
Опоздаю... В первой паре
Полонеза..." Плащ накинув
На одно плечо — покорно —
По́д руку поэт — Психею
По трепещущим ступенькам
Провожает. Лапки в плед ей
Сам укутал, волчью полость
Сам запахивает... — "С Богом!"
А Психея,
К спутнице припав — слепому
Пугалу в чепце — трепещет:
Не прожег ли ей перчатку
Пылкий поцелуй арапа...

Пунш и полночь. Пунш и пепла
Ниспаденье на персидский
Палевый халат — и платья

Бального пустая пена
В пыльном зеркале...

1920

СТИХИ К ПУШКИНУ

1

Бич жандармов, бог студентов,
Желчь мужей, услада жен,
Пушкин — в роли монумента?
Гостя каменного? — он,

Скалозубый, нагловзорый
Пушкин — в роли Командора?

Критик — нóя, нытик — вторя:
"Где же пушкинское (взрыд)
Чувство меры?" Чувство — моря
Позабыли — о гранит

Бьющегося? Тот, солёный
Пушкин — в роли лексикона?

Две ноги свои — погреться —
Вытянувший, и на стол
Вспрыгнувший при самодержце
Африканский самовол —

Наших прадедов умора —
Пушкин — в роли гувернера?

Черного не перекрасить
В белого — неисправим!
Недурён российский классик,
Небо Африки — своим

Звавший, невское — проклятым.
— Пушкин — в роли русопята?

Ох, брадатые авгуры!
Задал, задал бы вам бал
Тот, кто царскую цензуру
Только с дурой рифмовал,

А "Европы Вестник" — с...
Пушкин — в роли гробокопа?

К пушкинскому юбилею
Тоже речь произнесем:
Всех румяней и *смуглее*
До сих пор на свете всем,

Всех живучей и живее!
Пушкин — в роли мавзолея?

То-то к пушкинским избушкам
Лепитесь, что сами — хлам!
Как из душа! Как из пушки —
Пушкиным — по соловьям

Слóва, соколáм полета!
— Пушкин — в роли пулемета!

Уши лопнули от вопля:
"Перед Пушкиным во фрунт!"
А куда девали пёкло
Губ, куда девали — бунт

Пушкинский? уст окаянство?
Пушкин — в меру пушкиньянца!

Томики поставив в шкафчик —
Посмешаете ж его,
Беженство свое смешавши
С белым бешенством его!

Белокровье мозга, морга
Синь — с оскалом негра, горло
Кажущим...

Поскакал бы, Всадник Медный,
Он со всех копыт — назад.
Трусоват был Ваня бедный,
Ну, а он — *не* трусоват.

Сей, глядевший во все страны —
В роли собственной Татьяны?

Что́ вы делаете, карлы,
Этот — голубей олив —
Самый вольный, самый крайний
Лоб — навеки заклеймив

Низостию двуединой
Золота и середины?

"Пушкин — тога, Пушкин — схима,
Пушкин — мера, Пушкин — грань..."
Пушкин, Пушкин, Пушкин — имя
Благородное — как брань

Площадную — попугаи

— Пушкин? Очень испугали!

1931

2

ПЕТР И ПУШКИН

Не флотом, не по́том, не задом
В заплатах, не Шведом у ног,
Не ростом — из всякого ряду,
Не сносом — всего, чему срок,

Не летом, не бо́том, не пивом
Немецким сквозь кнастеров дым,
И даже и не Петро-дивом
Своим (Петро-делом своим!).

И бо́льшего было бы мало
(Бог дал, человек не обузь!) —
Когда б не привез Ганнибала-
Арапа на белую Русь.

Сего афричонка в науку
Взяв, всем россиянам носы
Утер, и наставил, — от внука-
то *негрского* — свет на Руси!

Уж он бы вертлявого — в струнку
Не стал бы! — "На волю? Изволь!
Такой же ты камерный юнкер,
Как я — машкерадный король!"

Поняв, что ни пеной, ни пемзой —
Той Африки, — царь-грамотей
Решил бы: "Отныне *я* — цензор
Твоих африканских страстей".

И дав бы ему по загривку
Курчавому (стричь-не остричь!):
"Иди-ка, сынок, на побывку
В свою африканскую дичь!

Плыви — ни об чем не печалься!
Чай, есть в паруса кому дуть!
Соскучишься — так ворочайся,
А нет — хошь и дверь позабудь!

Приказ: ледяные туманы
Покинув — за пядию пядь
Обследовать жаркие страны
И виршами нам описать".

И мимо наставленной свиты,
Отставленной — прямо на склад,
Гигант, отпустивши пииту,
Помчал — по земле или *над*?

Сей, не по снегам смуглолицый
Российским — снегов Измаил!
Уж он бы заморскую птицу
Архивами не заморил!

Сей, не по кровям торопливый
Славянским, сей *тоже* — метис!
Уж ты б у него по архивам
Отечественным не закис!

Уж он бы с тобою — поладил!
За непринужденный поклон
Разжалованный — Николаем,
Пожалованный бы — Петром!

Уж он бы жандармского сыска
Не крыл бы "отечеством чувств"!
Уж он бы тебе — василиска
Взгляд! — не замораживал уст.

Уж он бы полтавских не комкал
Концов, не тупил бы пера.
За что недостойным потомком —
Подонком — опенком Петра

Был сослан в румынскую область,
Да ею б — пожалован был
Сим — так ненавидящим робость
Мужскую, что сына убил

Сробевшего. — "Эта мякина —
Я? — Вот и роди! и расти!"
Был *негр* ему истинным сыном,
Так истинным правнуком — *ты*

Останешься. Заговор равных.
И вот, не спросясь повитух,
Гигантова крестника правнук
Петров унаследовал дух.

И шаг, и светлейший из светлых
Взгляд, коим поныне светла...
Последний — посмертный — *бес*смертный
Подарок России — Петра.

2 июля 1931

3

(СТАНОК)

Вся его наука —
Мощь. Светло — гляжу:
Пушкинскую руку
Жму, а не лижу.

Прадеду — товарка:
В той же мастерской!
Каждая помарка —
Как своей рукой.

Вольному — под стопки?
Мне, в котле чудес
Сём — открытой скобки
Ведающей — вес,

Мнящейся описки —
Смысл, короче — всё.
Ибо нету сыска
Пуще, чем родство!

Пелось как — поется
И поныне — так.
Знаем, как "дается"!
Над тобой, "пустяк",

Знаем — как потелось!
От тебя, мазок,
Знаю — как хотелось

В лес — на бал — в возок...
И как — спать хотелось!
Над цветком любви —
Знаю, как скрипелось
Негрскими зубьми!

Перья на востроты —
Знаю, как чинил!
Пальцы не просохли
От его чернил!

А зато — меж талых
Свеч, картежных сеч —
Знаю — как стрясалось!
От зеркал, от плеч

Голых, от бокалов
Битых на полу —
Знаю, как бежалось
К голому столу!

В битву без злодейства:
Самого — с самим!
— Пушкиным не бейте!
Ибо бью вас — им!

1931

4

Преодоленье
Косности русской —
Пушкинский гений?
Пушкинский мускул

На кашалотьей
Туше судьбы —
Мускул полета,
Бега,

Борьбы.
С утренней негой
Бившийся — бодро!
Ровного бега,
Долгого хода —
Мускул. Побегов
Мускул степных,
Шлюпки, что к брегу
Тщится сквозь вихрь.

Не онедужен
Русскою кровью —
О, не верблюжья
И не воловья
Жила (усердство
Из-под ремня!) —
Конского сердца
Мышца — моя!

Больше балласту —
Краше осанка!
Мускул гимнаста
И арестанта,
Что на канате
Собственных жил
Из каземата —
Соколом взмыл!

Пушкин — с монаршьих
Рук руководством
Бившийся так же
На́смерть — как бьется
(Мощь — прибывала,
Сила росла)
С мускулом вала
Мускул весла.

Кто-то, на фуру
Несший: "Атлета
Мускулатура,
А не поэта!"
То — Серафима
Сила — была:
Несокрушимый
Мускул — крыла.

10 июля 1931

5—6

(ПОЭТ И ЦАРЬ)

(1)

Потусторонним
Залом царей.
— А непреклонный
Мраморный сей?

Столь величавый
В золоте барм.
— Пушкинской славы
Жалкий жандарм.

Автора — хаял,
Рукопись — стриг.
Польского края
Зверский мясник.

Зорче вглядися!
Не забывай:
Певцоубийца
Царь Николай
Первый.

(2)

Нет, бил барабан перед смутным полком,
Когда мы вождя хоронили:
То зубы царёвы над мертвым певцом
Почетную дробь выводили.
Такой уж почет, что ближайшим друзьям —
Нет места. В изглавьи, в изножьи,
И справа, и слева — ручищи по швам —
Жандармские груди и рожи.

Не диво ли — и на тишайшем из лож
Пребыть поднадзорным мальчишкой?
На что-то, на что-то, на что-то похож
Почет сей, почетно — да слишком!

Гляди, мол, страна, как, молве вопреки,
Монарх о поэте печется!
Почетно — почетно — почетно — архи-
Почетно, — почетно — до черту!

Кого ж это так — точно воры вора́
Пристреленного — выносили?
Изменника? Нет. С проходного двора —
Умнейшего мужа России.

19 июля 1931
Медон